GIUSEPPE PONTIGGIA

NATI DUE VOLTE

OSCAR MONDADORI

© 2000 Arnoldo Mondadori Editore S.p.A., Milano

I edizione Scrittori italiani e stranieri agosto 2000
I edizione Oscar bestsellers settembre 2002

ISBN 88-04-49543-X

Questo volume è stato stampato
presso Mondadori Printing S.p.A.
Stabilimento NSM - Cles (TN)
Stampato in Italia. Printed in Italy

Ristampe:

6   7   8   9   10   11   12   13   14

2004   2005   2006   2007   2008

www.giuseppepontiggia.net

www.librimondadori.it

Nati due volte

*Ai disabili che lottano
non per diventare normali
ma se stessi*

Indice

Scale mobili

La scala mobile sale al terzo piano tra scale che discendono, gradini che spariscono in alto tra le luci, pavimenti che si allontanano ai due lati, la folla che circola lentamente nel brusio.

«Ti piace?» gli chiedo in un orecchio, alle spalle.

«Sì» risponde senza voltarsi.

Aggrappato con la sinistra al corrimano di gomma, si lascia cadere indietro, sentendo che ho le braccia aperte.

Sto curvo in avanti per sorreggerlo. Quando arriviamo in cima e i gradini di ferro scompaiono nella feritoia, si arrovescia con le spalle.

«Non avere paura!» gli dico, sollevandolo a fatica perché non inciampi.

Si posa, con le gambe rigide, i piedi tesi, sulla moquette oltre la piastra metallica. Riesce a non cadere. Cammina. Mi guardo intorno, asciugandomi la fronte con il palmo della destra. Una signora ci guarda accigliata vicino a un ombrellone giallo, piantato in un rettangolo di sabbia che simula una spiaggia. Anch'io la guardo, sono stanco delle persone che ci guardano. Ma ecco che lancia un grido, portandosi la mano alla bocca, mentre si sente un tonfo pesante. Paolo è caduto su un fianco e ora, troppo tardi, si volta sul dorso, come gli è stato insegnato. Ha il viso contratto dal dolore, le palme inutilmente aperte sul pavimento.

«Ti sei fatto male?» gli sussurro, piegandomi su di lui.

Mi fa segno di no.

Lo aiuto a rialzarsi, puntandogli i piedi contro i miei e tirandolo per le braccia.

Una piccola folla, occhi di curiosità sgomenta, ha fatto il vuoto intorno a noi e si ritrae per lasciarci passare.

«Non è niente» dico.

Lo sorreggo per alcuni passi.

«Va meglio?»

«Sì.»

Gli indico, tra piccole palme dentro vasi di argilla, un bar riparato da un tetto spiovente di canne, contro un mare blu di cartone.

«Vuoi che beviamo qualcosa?»

«Sì.»

Ci sediamo a un tavolo di legno greggio, su panche rustiche. Vicino a noi un padiglione a forma di enorme squalo spalanca le fauci per racchiudere articoli di pesca. Guardo i suoi denti aguzzi che ci sovrastano in alto.

Sono stremato e infelice.

Gli chiedo:

«Vuoi una coca-cola?»

«Sì.»

Gli reggo il bicchiere mentre beve.

Quando ci rialziamo, gli dico:

«Cammina bene. Sta' attento.»

Lui procede ondeggiando come un marinaio ubriaco. No, come uno spastico.

Si volta per dirmi con la sua voce stentata:

«Se ti vergogni, puoi camminare a distanza. Non preoccuparti per me.»

Venire al mondo

Sta per nascere mentre sono a scuola. Ho cominciato la lezione. La bidella sorniona, sorridente, si curva sulla cattedra e mi sussurra all'orecchio:

«Professore, sua moglie è già in clinica. Ha telefonato sua madre, ha detto di avvisarla, però non
è una cosa immediata.»

Alzo la testa, assumo una espressione tranquilla.

«C'è stata la rottura delle acque» aggiunge lei.

Annuisco. Non so niente, che cosa è la rottura delle acque? Forse la rottura della placenta. Vedo una
membrana che si sfascia, la fuoriuscita del liquido.

«Se vuole, può interrompere la lezione» suggerisce.

«No, continuo.»

Idiota. Vuoi dimostrare agli altri, anzi a te, come
sei calmo. Come sai affrontare i rischi. Tanto non sei
tu che rischi. Questo allora non l'avevo pensato. Siamo così calmi quando affrontiamo i rischi degli altri.

Soprattutto non emozionarsi. Millenni di educazione maschile in un attimo. Guardo la classe. Devono avere intuito, una ragazza del primo banco ha sentito qualche parola della bidella e si volta verso un compagno alle spalle. Sorrido. Tutto è sotto controllo. Dico:

«Finiamo la lezione.»

«Parto distocico» mi dice il medico in corridoio, evitando di guardarmi.

Obeso, il respiro affannoso sotto i baffi spioventi, le pupille fisse, sembra un grosso topo in procinto di fuggire.

«Cioè?»

«Distocico, gliel'ho detto.»

Alza gli occhi su di me, per avere la conferma che non ho capito.

«Che complicazioni ci sono?»

«Tutto e niente. Il rischio più grave è l'anossia.»

«Cioè che non respiri?»

«In un certo senso» mi concede infastidito. «Comunque il battito è regolare, per ora non è il caso di intervenire.»

«Intervenire come?»

«Taglio cesareo. Però il vostro ginecologo non vuole. È contrario.»

Come contrario? Rivedo il suo viso dilatato, diafano, i radi capelli bianchi scompigliati sul cranio, una sensazione di sfinitezza, di sfacelo: «Evitare il parto cesareo, che oggi è diventato una moda». Io che lo ascoltavo con aria grave, ma pensavo a lei, a lei che avevo ritrovato dopo anni, a lei che avrei rivisto tre ore dopo, mentre chiedevo: «Ma pericoli ce ne sono?». «Naturalmente» mi aveva risposto. «Si ricorda Leopardi? *Nasce l'uomo a fatica / ed è rischio di morte il nascimento.* Però il cesareo è l'ultima cosa, mi creda.»

Mi guardava con un viso bonario e sorridente, maschera della saggezza che molti assumono avvicinandosi alla vecchiaia e invece è l'ultima, definitiva, eterna forma della stupidità. Un presentimento lo avevo avuto sulle scale, quando le avevo chiesto: «Sei sicura che sia un buon ginecologo?». «È bravissimo» mi aveva risposto.

Eccolo avanzare in corridoio. Viene nella mia direzione con i suoi passettini frettolosi, come un pinguino che dondola sui fianchi.

«Stia tranquillo» mi dice, che è il modo per rendere inquieti. «Deve avere un po' di pazienza.»

«Ma perché non nasce?»

«È un bambino grosso» sospira. «Pare non ne voglia sapere di venire al mondo.»

Sorride, ammicca:

«Forse ha ragione lui.»

Vorrei scuoterlo per le spalle, ma non posso rendermi ostile chi già intuisco come il nemico più temibile.

«Oh, meno male che c'è lei, dottor Merini!» esclama mia suocera, sopraggiungendomi alle spalle.

Gli prende le mani:

«Me lo dica, dottor Merini! Vero che andrà tutto bene?»

«Ma certo, signora! È solo un parto un po' difficoltoso, lasciamo fare alla natura!»

Lei congiunge le palme:

«Oh, questo volevo sentirle dire!»

Monumentale, accaldata, dilagante, è sempre prossima a un collasso che non verrà mai, sempre a caccia di timori da dissolvere e di angosce da vanificare.

Aggiunge:

«Basta che non capiti niente alla mia bambina!»

«E anche al bambino» dice mia madre gelida, avvicinandosi.

Ha seguito l'incontro nel vano della finestra, occultandosi quel tanto che basta a farla vedere da tutti. E ha assunto il volto pietrificato che mi sgomentava quando ero piccolo.

Continua:

«Non dimentichiamoci che è lui che sta nascendo.»

Mia suocera si volta a guardarla come una intrusa.

«Ciao! Non ti avevo vista» le dice.

Prosegue:

«Il bambino, certo! Tutti e due! L'importante a questo punto è non perdere tempo!»

«Siete stati voi a escludere il cesareo» risponde mia madre con lo stesso volto impassibile.

«Ma che cosa dici?» la apostrofa mia suocera, affannata. «Noi non abbiamo escluso niente. Preferiamo, se si può, evitare una operazione. E poi, chi saremmo *noi*?»

«Tu e tua figlia, con le vostre teorie della medicina naturale!» Mia madre sposta il dito su di me. «E anche lui, che finge di ascoltarvi mentre pensa ad altro!»

«Ma perché fai sempre l'uccello del malaugurio?» cerco di ferirla.

Ci sono riuscito. L'offesa sembra averla trafitta. Ritorna nel vano della finestra, chiudendosi in un isolamento sdegnoso e guardando fuori dei vetri. È stata attrice dilettante in gioventù. Non lo dimentica mai e io neanche.

Ricordo particolari isolati, come fotogrammi di un film che non riesco a rivedere di seguito. La suora che esce dalla stanza in fondo al corridoio e mi passa davanti in un fruscio rapido, simulando di non vedermi, io che la raggiungo, le chiedo: «Che cosa sta succedendo?». «Lo chieda al suo ginecologo» mi risponde.

Il viso sempre più smarrito del dottor Merini («Non pensavo che potesse andare così»), vedere un idiota angosciato è ancora più terribile che vederlo ilare. «Come non pensavo?», lo scrollo finalmente per le spalle, faccio quello che dovevo fare dodici ore prima, dodici ore sono passate, non una nascita, ma una specie di agonia. E lui che si divincola. «Ma che cosa fa?» mi grida, «useremo il forcipe!» «Perché non il cesareo?» «È troppo tardi, il parto è già cominciato!»

Io che avanzo nella cappella della clinica, in un brulichio di luci colorate, sono io che mi sto inginocchiando su una panca di legno lucido, sembra una chiesa artificiale, mi sento un attore che rilutta a recitare una parte, perché si trova lì?, non è la sua parte.

Invece è la tua, è finito il tempo della commedia, ora è cominciata la tragedia. Hai già vissuto momenti simili a questo, è come se rispondessi a un appello, l'hai sempre detto, fare fronte, stai barattando con Dio, non la vedrai per un mese, no, è troppo, tre settimane, chiudi gli occhi, se tutto sta andando così è anche per colpa tua, non solo della medicina ufficiale, dov'eri quando te ne parlavano e tu eri assente? Non vederla più, no, non ti è richiesto, saresti infelice, sarebbe peggio per tutti.

Senti una voce dentro di te, priva di suoni, che ti risponde di sì, è come se qualcuno annuisse, non lo meriti, ma l'hai ottenuto, ti fai il segno della croce, mormori grazie.

Non ricordo chi mi ha parlato per primo dell'assenza di pianto, ma è così grave?, sì è grave, era cianotico, ricordo una parola, catatonico, me la dice in fretta il chirurgo uscendo dalla porta, la domanda che loro non vogliono sentire ed è l'unica che a te interessa, quali sono le conseguenze?, è troppo presto per dirlo, possono anche non essere preoccupanti, ora pensi a sua moglie.

È a letto esangue, angosciata, silenziosa. Guarda verso la finestra. La pioggia serpeggia in rigagnoli lungo le vetrate. Le prendo la mano sopra la coperta:

«Sei stata bravissima.»

Fa segno di no con la testa.

«Vedrai che andrà bene.»

Non risponde.

Poi accenna a parlare, ha una voce fioca, mi curvo fino a sfiorarle la fronte, madida di sudore gelido. Mi chiede:

«Hai visto il bambino?»

«No.»

«Va' a vederlo.»

Chi mi aveva parlato di felicità della nascita?

Mai dimenticherò quel viso paonazzo, minuscolo, atterrito in una sorta di sorriso fisso, il cranio a cono, l'immagine di una divinità mesopotamica che mi torna di colpo in mente. È terrificante e domestico, l'infermiera lo regge tra le braccia:

«Lo portiamo nell'incubatrice.»

«Ma la testa?» chiedo.

«Quello è il male minore» mi risponde, entrando nella stanza e curvandosi sopra il letto per mostrarlo alla madre.

Dietro il vetro

Ci si aggira come in un acquario, i neonati sigillati in parallelepipedi di vetro, di lui vedo i genitali ingigantiti da una lente circolare, minuscolo oblò spalancato su un corpicino nudo. Poi vedo il piede sinistro scosso, a intervalli regolari, da un tremito sussultorio, prima era molto più forte, mi dice il medico che mi accompagna, ora è sotto l'azione dei sedativi.

Le dita contratte si allargano in convulsioni silenziose. Come un ventaglio che si apre, lentamente, per poi richiudersi di colpo. «È epilessia?» chiedo, mostrando una calma irreale, come fossi un osservatore. È l'espediente che usiamo con i medici per ottenerne la sincerità e che loro conoscono altrettanto bene di noi. Ci inganniamo a vicenda per non dirci mai la verità.

«Aspettiamo l'elettroencefalogramma» mi risponde, con impassibilità professionale.

Intercettazioni

La voce strozzata di mio suocero al telefono, igna-
ro che lo stia sentendo, mentre parla con suo figlio
Marco da un corridoio della clinica, davanti a una
finestra:

«Sì, può diventare anche un idiota, hai capito?»

Ha il viso congestionato dal furore, gli occhi dilatati. Vorrei precipitarlo dalla finestra, ma la sua
espressione sconvolta mi calma. Sta esagerando,
mi dico, fa sempre così. Esaspera i pericoli per renderli ancora più temibili e accettarne una versione
attenuata. L'idea di una minorazione lo angoscia.
Lui che è igienista, atletico, salutista, lui che non si
rassegna a invecchiare.

«Non farmi più domande!» grida nel microfono
con voce soffocata. «Non sappiamo niente! Dobbiamo solo aspettare! Non ci dicono niente!»

Mi ha visto, si curva come per schivare lo sguardo, si rialza, ha un viso prostrato e quando riappende il telefono mi chiede sfinito:

«Hai sentito quello che dicevo?»

«Sì.»

Si passa il dorso della mano sulla fronte:

«Come fai a essere calmo?»

«Non sono calmo» gli rispondo. «Ma non puoi rinunciare alla ragione.»

Mi guarda con occhi scintillanti.

«Non parlarmi di ragione» mi dice.

Colpe

Ci incontriamo nella stessa rotonda, in cima alla altura del parco, dove ci incontravamo cinque mesi fa, nei primi tempi che ci eravamo rivisti. Ed era la stessa rotonda dove ci incontravamo da adolescenti, quindici anni prima, io incapace di dirle quello che provavo e lei attratta quanto delusa che non glielo dicessi. C'è qualcosa di ovvio e di assurdo nella scelta di questo bar, una ripetizione maniacale e ciclica come il tetto circolare che ci sovrasta.

«Quando pensi che torneremo a vederci?»

Aggiunge:

«Scusa se te lo chiedo, ma credo di averne il diritto.»

Ha gli occhi umidi e l'espressione affranta e risoluta dei momenti peggiori. Per lei sono probabilmente i migliori, quelli in cui vince se stessa e, così si illude, anche l'antagonista.

«Vederci là, intendi?»

Cerco di guadagnare tempo.

«Certo» risponde. «Non fingere, ti prego!»

Là è un monolocale all'ultimo piano di uno stabile in viale Campania, senza portineria, senza nome sulla porta. Una mansarda con il soffitto inclinato e soffocante, che si affaccia su una pianura di tetti. L'abbiamo affittata da tre mesi, ci andavamo in orari strani, appena possibile, anche di mattina, se era il mio giorno libero a scuola e lei riusciva a sottrarsi, almeno per due ore, alla famiglia.

«Io ho rispettato il tuo desiderio di non andarci» continua lentamente. «Anche se, permettimi, non vedo una connessione tra il nostro rapporto e quello che è successo.»

Ha preparato le parole, si muove con cautela su un territorio già esplorato.

Prosegue più sicura:

«Ormai sono passati venticinque giorni. Potevi almeno chiedermi che cosa ne pensavo.»

«Credevo che lo intuissi.»

«Sì, ma dovevi parlarmene.»

Il tono concitato preannuncia una di quelle discussioni che pavento.

«Sono in crisi non meno di te» continua. «Ho due figli e una situazione molto complicata.»

«Lo so.»

«Mi sono sentita estromessa dalla tua vita. Ma che cosa ti ho fatto?»

«Tu non hai nessuna colpa» le dico.

«Colpa?» arrossisce. «Ecco, dilla finalmente la parola!»

«L'ho detta.»

«Guai se cominci a pensare così!»

«Abbassa la voce!» le sussurro. «Ti sentono!»

La signora del tavolo vicino, che ci stava osservando, si volta dall'altra parte.

«Ma che importanza ha?» protesta. «Ormai so quello che ci aspetta! Tu vittima dei tuoi sensi di colpa e io corresponsabile!»

«Io non ho i sensi di colpa che tu credi» le dico a voce bassa. «Né vado come te da uno psicanalista per liberarmene. Tu fai bene, ma il mio caso è diverso.»

«E cioè?»

Mi guarda con stupore, gli occhi pieni di lacrime.

«Io non ho colpe immaginarie come le tue, che risalgono all'infanzia e all'inconscio. Io ho alcune colpe precise.»

«E quali sarebbero? Il bambino è nato così per tanti errori, ma tu non c'entri!»

«No, io c'entro prima.»

«Quando?»

«Quando lei aspettava il bambino e sei riapparsa tu.»

«Lo sapevo che la colpa era mia!» sorride sarcastica. «Ci avrei giurato.»

«Non sto parlando di te» le rispondo calmo. «Sto parlando di me.»

Lei aspetta che continui.

«Se fossi stato più presente, forse le cose sarebbero andate in altro modo.»

Ha un sussulto:

«Dove, in clinica? Che cosa potevi fare? Non sarebbe cambiato nulla!»

«Parlo delle sue angosce per noi durante la gravidanza.»

Si aggrappa ai braccioli della poltrona di ferro:

«Ma tu mi avevi detto che non sapeva niente!»

«No, aveva capito tutto» le rispondo.

Non so se sia vero, lo scopro in questo momento.

«Allora tu non fai che mentire, a lei e a me!»

«I medici le chiedono se ha sofferto durante la gravidanza» continuo.

«E lei?»

«Lei nega, ma lo fa per coprirmi.»

«Guarda quante cose mi avevi nascosto!» commenta lei amara. «Perché le dici ora, per alleggerirti?»

«No, per capire se hanno avuto conseguenze sul bambino.»

Aggiungo:

«I medici non lo escludono.»

Mi scruta ansiosa:

«Ti hanno detto qualcosa?»

«No, lo dicono in generale.»

Lei scuote la testa:

«Dicono tante cose! Non devi angosciarti.»

Aggiunge con la brutalità che mi ha sempre sorpreso nel suo viso infantile:

«Pensa ai bambini che nascono durante le guerre.»

Non le rispondo. Ma anche quella era stata una guerra. Una guerra fatta di sospetti e di tradimenti, di agguati e di cedimenti, fra tenerezza, odio e paura.

«Tu, confessando, credi di espiare» riprende lei. «Ma la strada è un'altra. Tu non hai tutte le colpe che credi. Le colpe sono sempre condivise.»

«Con te?»

«No, con lei.»

«È questo che ti fa credere il tuo analista?» le chiedo.

Colleghi

Al collega di matematica e fisica è stato asportato da poco un nodulo in una ascella e forse l'operazione contribuisce a renderlo ingordo di informazioni cliniche. Mi chiede della salute di Paolo. Gli rispondo che è stato dimesso dalla clinica e che i tremori sono cessati. Non c'è un focus epilettico localizzato – mi ascolta con attenzione vorace –, c'è una sofferenza diffusa della corteccia, ma, secondo il pediatra che lo ha seguito, i sintomi potrebbero non ripetersi più. La casistica è confortante, a parte l'eventualità di episodi lievi nell'adolescenza.

«Però voi mai!» alza il dito, tra la predizione e la minaccia, «mai potrete vivere sicuri! Avrete sempre una spada sospesa sopra il capo!»

Lo guardo sconcertato, non riesco a reagire, non riesco neppure a capire che cosa stia cercando di dire. Eppure è semplice:

«Quando c'è stata una lesione cerebrale, sia pure

diffusa, c'è sempre» alza di nuovo il dito «il pericolo di una crisi!»

«Ti ringrazio di avermelo detto» gli rispondo con una voce che non mi sembra la mia.

«Ma niente, caro» continua. «Forse può sembrarti brutale, però è meglio sapere le cose che ignorarle.»

«Certo» gli dico.

Ho gli occhi velati, mi dirigo verso la porta. Penso che non dimenticherò più questo episodio. Infatti non l'ho dimenticato.

La sfera di cristallo

È l'immagine prediletta da quei medici che dicono di non averla, quando non vogliono pronunciarsi sul futuro. «Avessi la sfera di cristallo!» sospirano, corrugando la fronte con una perplessità che immaginano sapiente. Oppure: «Mica abbiamo la sfera di cristallo!», con una intonazione più rozza e corporativa.

Li ho odiati per anni. Si rifugiano dietro una metafora proverbiale, stremata dall'uso, svuotata di ogni attendibilità anche fiabesca, come dovessero difendersi da pretese insensate, mentre sono solo richieste di aiuto, appelli alla speranza, fughe nel futuro per liberarsi dalla disperazione del presente. E ricorrono a una frase imparata magari da un primario (le fatuità dei migliori sono le testimonianze che ricordano più tenacemente), per annettersene, in incognito, l'autorità. L'alibi della deontologia professionale dovrebbe mascherare questa interruzione del dialogo. Ma i pazienti, e i loro parenti, non vi hanno mai creduto. Nella sfera di cristallo intravedono non l'aleatorietà di divinare il futuro, ma la viltà di sottrarsi a una analisi penosa e dura, a un confronto impegnativo e doloroso. Quei medici, più competenti e umani di loro, che sanno affrontarlo, non se ne sono mai pentiti.

Ricordo il professore che, tre mesi dopo il parto, dietro la scrivania del suo studio, ci aveva rivelato la verità, ovvero quello che pensava. Aveva riflettuto a lungo prima di rispondere, in una penombra carica di angoscia. Non era ricorso alla sfera di cristallo. Più esperto di medicina e di uomini che tanti suoi colleghi, ci aveva detto, con voce pacata e ferma, guardandoci negli occhi:

«Non posso prevedere come diventerà vostro figlio. Posso fare alcune ipotesi ragionevoli.

«La più ottimistica. La sofferenza cerebrale, dovuta al forcipe e alla scarsità di ossigeno al momento della nascita, si riassorbe. Non ha lasciato tracce consistenti. I disturbi possono essere marginali. Non è l'ipotesi più probabile.

«Vediamo l'ipotesi mediana. Le lesioni cerebrali, anche se non profonde, hanno intaccato i centri motori e quelli del linguaggio. Il bambino tarda a parlare, se a tre anni un suo coetaneo usa mille parole, lui ne sa dire cento. L'andatura sarà imperfetta, la manualità difettosa. Però è intelligente, presenterà solo forme di immaturità dovute anche alla parzialità della sua esperienza.

«Passiamo alla ipotesi più negativa. L'elettroencefalogramma è troppo precoce per essere attendibile e non ha rivelato la gravità delle lesioni. Le alterazioni della motilità e della intelligenza sono più forti del temuto. Non è l'ipotesi più probabile, secondo me.

«Però posso sbagliarmi. Voi dovete vivere giorno per giorno, non dovete pensare ossessivamente al futuro. Sarà una esperienza durissima, eppure non la deprecherete. Ne uscirete migliorati.

«Questi bambini nascono due volte. Devono imparare a muoversi in un mondo che la prima nascita ha reso più difficile. La seconda dipende da voi, da quello che saprete dare. Sono nati due volte e il percorso sarà più tormentato. Ma alla fine anche per voi sarà una rinascita. Questa almeno è la mia esperienza. Non posso dirvi altro.»

Grazie, a distanza di trent'anni.

La prima visita

La fisiatra ci accoglie in una anticamera buia, angusta, dove ci si aggira a fatica. Certe case, come certe persone, danno il peggio di sé nel vestibolo, per poi correggere l'immagine iniziale. Ma sono solo i superficiali, diceva Wilde, a non fidarsi della prima impressione.

Riusciamo laboriosamente a liberarci dei cappotti, scambiandoci il bambino: e apriamo, premendo le spalle contro il muro, un armadio di legno nero, dove li stipiamo. Entriamo poi in una stanza-palestra, con spalliere che si arrampicano lungo le pareti e un tappeto quadrato di plastica al centro di un parquet sconnesso. Il pomeriggio nebbioso stempera una luce grigia al di là delle vetrate.

Siamo invitati a sederci su un piccolo divano di vimini, mentre lei sta appollaiata sopra un enorme cuscino. Si capisce che è la posizione dove si sente più a suo agio.

Al telefono aveva dimenticato di dirci il suo compenso. Lo precisa ora ed è insolitamente alto. Osserva diffidente e insicura le nostre reazioni. Noi le mascheriamo con una disinvoltura altrettanto insolita.

«Le va bene?» mi chiede.

«Sì» mento.

C'è qualcosa di sgradevole nei suoi modi, qualcosa di apprensivo e di goffo, che la rende invincibilmente estranea, oscillante com'è tra esitazione e aggressione. Me ne rendo conto solo ora, a distanza di anni. Allora, intimidito dalla incertezza della diagnosi e ansioso di essere rassicurato, mi preoccupavo dell'umore dell'oracolo, anche se ne percepivo confusamente i limiti. Quanti dialoghi dovrebbero svolgersi in tempi diversi! Occorrono talora anni per dare, almeno idealmente, le risposte adeguate. Ma l'interlocutore nel frattempo è morto o è sparito o se ne è dimenticato. Solo pochi fortunati dai riflessi fulminei hanno le reazioni che sarebbero condivise dalla memoria del futuro. Ma non possiamo imitarli, disorientati dal dubbio o pietrificati dalla sorpresa.

La fisiatra ci chiede a questo punto di esporre con chiarezza la storia di Paolo. Sembra temere un racconto troppo dettagliato e dispersivo e mi incalza, non appena comincio a parlare, con un «Sìììì», «Sìì», che è la negazione di ogni dialogo. Abbrevio, semplifico, riassumo. Alla fine dico esasperato a Franca di passarle il bambino che tiene sulle ginocchia. E lei lo accoglie con una rapacità materna, come una liberazione, lo distende sul tappeto, gli allarga le braccia, gli accarezza le piccole mani, gli fa il solletico sotto le piante dei piedi. In seguito vedrò gli stessi gesti ripetuti da altrettanti specialisti, ma ora mi appaiono sapienti, ritmati, esperti. Ci chiede quale medico ci ha mandato da lei e io rispondo nessuno. Come nessuno? È stata una mia collega, che ne aveva sentito parlare da una amica. E il neurologo che cosa dice? Non c'è nessun neurologo. Il bambino, dopo quaranta giorni, è stato dimesso dalla clinica e il pediatra ha parlato di disturbi che con il tempo verranno riassorbiti.

«Ma siamo impazziti?» dice lei, rialzandosi sul tappeto.

«No, per niente» risponde Franca, pallida. «Ci siamo rivolti a lei per avere una conferma.»

L'altra la guarda sbalordita.

«Per sicurezza» aggiunge Franca, sempre più turbata.

«Ma questo è un bambino sinistrato!» esclama lei. «Tetraparesi spastica distonica! Avete detto niente!»

Mi sento una debolezza improvvisa nelle gambe.

«Non sono disturbi passeggeri!» continua lei. «Qui bisogna cominciare subito!»

Sgrano gli occhi:

«Che cosa?»

«La fisioterapia! Molte ore al giorno! E voi dovete collaborare a tempo pieno!»

Si è rivolta a Franca, che tradisce un panico silenzioso.

«Non bisogna perdere tempo!» aggiunge. «Già se ne è perso troppo!»

Le chiedo concitato:

«Che pericoli corre?»

«Tanti!» mi risponde. «Non posso prevederli tutti. Dipende dalla evoluzione dei suoi sintomi.»

«Per esempio?»

«L'andatura!» mi dice. «Potrebbe avere una andatura irregolare.»

«Come?»

«Così» mi risponde.

Si alza sul tappeto e accenna, come una ballerina grassa, i piedi nudi, a camminare barcollante, finché perde l'equilibrio e cade di lato.

«Capisce?»

«Sì» mormoro.

È una immagine dell'orrore, vedo Franca che si porta la mano al viso.

«È certo» le dico atono, senza sapere se sia una domanda o un assenso.

«No, non è certo» dice lei, rialzandosi sul tappeto elastico e camminandovi a balzi, come se fosse uno strato di carboni ardenti. «Potrebbe essere coinvolta la parola, la manualità.»

«E l'intelligenza?» chiedo, a testa bassa.

«No, non credo.» Alza le spalle. «I veri problemi sono altri.»

Mi appoggio contro lo schienale di vimini. Franca si asciuga gli occhi con il fazzoletto.

«Ma nessuno vi ha informato?» chiede lei.

«Qualcuno in clinica» rispondo. «All'inizio. Poi no.»

«Incredibile!» esclama, voltando il viso, come se fosse stata colpita da uno schiaffo.

Io guardo Franca, ma per il momento taccio.

Mentre scendiamo le scale analizziamo, in un elenco accanito e accurato, i difetti della fisiatra. È un bilancio insieme sconfortante e rassicurante.

«Quando ti ha detto di ritelefonarle?» le chiedo.

«Fra quindici giorni.»

«E tu lo farai?»

«No» mi fissa con una sicurezza che è sicura della mia. «È troppo catastrofica. Nessuno ci ha parlato in questi termini, non possiamo fidarci. Noi dobbiamo fidarci di chi segue il bambino.»

«Anch'io la penso così.»

Aggiungo:

«Non ha molta esperienza. È solo all'inizio della professione.»

«Infatti.»

Quando vedo Paolo camminare, barcollando, davanti a me, rivedo lei che barcollava sul tappeto, nella stanza grigia, al tramonto, proiettando un'ombra dilatata sulla parete. Penso che è stata l'unica a darci del futuro l'immagine più vicina alla realtà. E forse per questo l'abbiamo rifiutata.

Che cosa è normale?

Niente. Chi è normale? Nessuno.

Quando si è feriti dalla diversità, la prima reazione non è di accettarla, ma di negarla. E lo si fa cominciando a negare la normalità. La normalità non esiste. Il lessico che la riguarda diventa a un tratto reticente, ammiccante, vagamente sarcastico. Si usano, nel linguaggio orale, i segni di quello scritto: «I normali, tra virgolette». Oppure: «I cosiddetti normali».

La normalità – sottoposta ad analisi aggressive non meno che la diversità – rivela incrinature, crepe, deficienze, ritardi funzionali, intermittenze, anomalie. Tutto diventa eccezione e il bisogno della norma, allontanato dalla porta, si riaffaccia ancora più temibile alla finestra. Si finisce così per rafforzarlo, come un virus reso invulnerabile dalle cure per sopprimerlo. Non è negando le differenze che lo si combatte, ma modificando l'immagine della norma.

Quando Einstein, alla domanda del passaporto, risponde "razza umana", non ignora le differenze, le omette in un orizzonte più ampio, che le include e le supera.

È questo il paesaggio che si deve aprire: sia a chi fa della differenza una discriminazione, sia a chi, per evitare una discriminazione, nega la differenza.

Istituto d'Arte

Ho insegnato per anni in un Istituto d'Arte. Vi ero entrato (seconda nomina) quando ne avevo ventotto. Non avevo mai conosciuto un disabile. Oggi ne vedo molti, non so se perché l'occhio si è affinato o il numero è aumentato. Credo tutte e due le cose.

In una classe avevo una alunna bionda al primo banco. I capelli fluenti sulle spalle larghe, il viso rotondo, mi sembrava una nuotatrice australiana appena uscita dalla piscina e rivestita dopo un allenamento. Il corpo esprimeva scioltezza e forza. Serena, intensamente inespressiva, gli occhi luminosi, seguiva la lezione con una attenzione ipnotica.

La prima volta che la interrogo a lato della cattedra, le mani dietro la schiena, statuaria e composta, non capisco quello che mi risponde.

«Puoi alzare la voce?» le chiedo.

Butta indietro la testa, stringendo le labbra, e mi

fa cenno di no, come se le chiedessi qualcosa di impossibile.

La guardo stupito e allora lei si volta verso la classe, quasi a domandare aiuto. Qualcuno qua e là, tra i banchi, sorride. Lei si gira di nuovo verso di me, bisbiglia parole incomprensibili.

Io allungo il collo nella sua direzione e le faccio segno di parlarmi all'orecchio. Piego con la mano sinistra il padiglione, formando l'incavo a conchiglia tipico dei sordi (lascio "non udenti" a chi non ha familiarità con l'handicap). E lei si curva verso di me, rossa in viso, sussurrandomi con una voce fioca:

«Mi scusi, non riesco a parlare più forte.»

«Non si preoccupi» le rispondo con aria spavalda. «Si fa capire benissimo.»

Ho pochi anni più di lei e mi sento disponibile, generoso, corretto, liberale. Un giovane insegnante magnifico, all'altezza del compito. La classe ridacchia, alcuni si sottraggono al controllo curvandosi dietro le spalle del compagno, altri si toccano con i gomiti, altri vorrebbero frenare un riso convulso e trasformano il rictus in un nitrito silenzioso.

Chiedo alla ragazza risposte brevissime: titoli, date, luoghi, nomi, nozionismo puro (del resto non spregevole, come si capirà quando lo si sarà abrogato). E lei fa brillantemente la sua parte, sorpresa dalla mia metamorfosi nell'interrogare.

La congedo con un largo sorriso e un lieve sudore sulla fronte. È preparata, le do un voto alto, scrivendolo sul registro con una gestualità trasparente. Sono un piccolo eroe della didattica moderna, funzionale e disinvolta. Anche la classe sembra apprezzare, qualcuno è passato dal riso al sorriso, che non è una acquisizione da poco.

La sua compagna di banco, mentre lei si siede al suo fianco, stanca e felice, mi informa che questi problemi sono minori con gli insegnanti delle materie tecniche, dove si parla meno. Solo con il professor Cornali, di storia dell'arte, le difficoltà si ingigantiscono. Me lo comunica con una franchezza spigliata, facendosi sentire dalla compagna, che annuisce, e dalla classe, che si riconosce nelle sue parole. È la mia delatrice ufficiale, a metà tra il rappresentante sindacale e il legato dell'esercito.

«Perché con il professor Cornali ha problemi?» le chiedo.

La ragazza sorride maliziosa:

«Perché lui dice che è sordo.».

La classe rumoreggia moderatamente, offrendo la conferma di un coro scettico.

La ragazza aggiunge:

«Invece sente benissimo. Fa così per metterla in difficoltà.»

La verità probabilmente sta in mezzo. Il professor Cornali è forse un po' duro d'orecchio e la ragazza gli crea qualche problema, fraternamente ricambiato.

«Verificherò» commento.

Ho verificato. Ma in mezzo sta la virtù, dice Orazio, non la verità. Altrimenti sarebbe risolto il problema. La verità, per quanto riguarda gli uomini, è sempre diversa.

Cornali non ha disturbi di udito. Ha invece disturbi nei rapporti con gli studenti. In questo non si distinguerebbe da nessuno di noi. Chi potrebbe negarlo? È vero, c'è qualcuno che lo nega. Ma appartiene a quella classe di idioti euforici che dichiarano alla televisione: «Ho avuto tutto dalla vita». Che sarebbero sopportabili se non fossero invece arroganti, sperando di suscitare, anche nell'epilogo, l'invidia per una vita immaginaria.

Cornali ha però disturbi particolari con chi soffre di disturbi. È un tratto che ho messo a punto più tardi, osservando le reazioni che i disabili suscitano in una specie ignorata di disabili, quelli normali. Il simile si cura con il simile, è il principio che Hahnemann, nell'Ottocento, pone a fondamento della medicina omeopatica. Il debole si cura con il debole, è il principio che ho visto applicato nella pratica dei rapporti umani in occasioni molteplici, tra edificanti e sinistre. Se un bambino disabile viene immesso inaspettatamente in un gruppo di bambini, tutti lo guarderanno dapprima con curiosità o stupore o sgomento, secondo l'inesorabilità dei punti di vista. Gli unici che conserveranno una attenzione concentrata, una partecipazione ambigua e un occhio torbido saranno quelli che cercano in lui uno specchio. Alcuni, avvinti quanto sopraffatti dalla paura di riconoscersi, reagiranno addirittura con la fuga o l'aggressività. Ma tornare è il loro destino vischioso, la loro sconfitta rassicurante. Che la nevrosi attragga, intensifichi e soddisfi un'altra nevrosi è del resto confermato dalla durata di molti matrimoni.

Cornali ha preso subito di mira la ragazza. Ha finto di compiere ogni sforzo per riuscire a sentirla – così mi ha raccontato la delatrice durante l'intervallo, nel vano della finestra in corridoio, tra gli sguardi fuggevoli e ammiccanti delle compagne di passaggio – e ha chiesto minuziosi ragguagli sulle cause del suo disturbo, contribuendo ad accentuarlo. Ogni volta mostrava di capire troppo poco ciò che lei gli diceva, curva sulla cattedra, a distanza ravvicinata. No, lui non si faceva parlare vicino all'orecchio, anzi, una volta che lei si era accostata, l'aveva allontanata con un gesto violento. Lei era scoppiata in lacrime.

Scopro ciò che avrei dovuto immaginare. Ogni insegnante ha un problema diverso con la ragazza, secondo la diversa materia. Ma ognuno riesce ad aggirare l'ostacolo. Questo attenua l'orgoglio per la mia versatilità. Essere *primus inter pares* non ha mai appagato una ambizione, soprattutto quando *pares* sono tutti gli altri. L'unica eccezione è Cornali, che al mio fianco, nella seduta dello scrutinio, mi chiede, quando si è prossimi al nome della ragazza:

«Ma tu capisci qualcosa quando parla?»

«Sì, tutto» rispondo pacatamente.

«Come tutto?» replica. «Ma allora io sono sordo!»

«Può darsi» rispondo, gettandogli una occhiata.

«Ma smettila!» esclama. «Siamo seri! Di' che capisci una parte.»

«Quasi tutto.»

Introduco la correzione del *quasi*, sempre preziosa per la credibilità del *tutto*.

Lui scuote la testa:

«Io non le do la sufficienza.»

«Perché?»

«Perché non la capisco» risponde reciso. «Non capisco che cosa dice. Sarà un limite mio.»

«Certamente.»

«Comunque abbiamo tutti i nostri limiti. Lei ha i suoi, io i miei.»

«Non puoi fare qualcosa per superarli?»

«L'ho fatto, credimi» mi dice contrito.

Aggiunge:

«Non ci riesco. È una bella disgrazia.»

«Quale?»

«Avere un difetto come il suo. Non so come chiamarlo, se atonia, afasia, timidezza, blocco emotivo.»

«Sai qual è la vera disgrazia?» rispondo, senza smettere di guardare avanti, verso la finestra chiusa dalle inferriate. «Avere una testa come la tua.»

Non replica. Lo sento alla mia sinistra respirare con più affanno. Finalmente dice (e non si capisce se sia una domanda o una intimidazione):

«Stai scherzando, vero?»

«No, non sto scherzando» rispondo serio. «Forse sto esagerando.»

Per prevenire l'ira consigliano di esibire la calma.

«La vera tragedia è la testa» continuo. «L'ha detto anche Cristo. Il male è quello che esce dalla bocca, non quello che vi entra.»

«Lascia stare Cristo!» sibila. «Non sopporto che tu mi parli così!»

È sterminato il numero delle cose che gli uomini sopportano, mentre negano di poterlo fare. Non me ne preoccupo. Sono il doppio di lui come statura e peso. Sento il sangue martellarmi nelle tempie, la bocca asciutta. Arretro idealmente di poco.

«Io non voglio offenderti» gli dico con un tono più basso, quasi fosse una confidenza. «Solo che sarei io l'insegnante all'antica. Me lo rinfacci di continuo. E tu, che cosa sei?»

È sempre bene, attaccando, fingersi aggredito.

Lui approfitta dell'alibi che gli offro e attenua il tono.

«Dico che sei troppo esigente.»

«Ma tu che cosa pretendi da una ragazza handicappata?»

Forse è la prima volta che uso l'aggettivo, destinato in futuro a condizionare la mia vita. Temo di averlo pronunciato con quella indignazione oratoria tipica di chi non ne è coinvolto (ne fanno largo sfoggio politici e letterati). Lui infatti reagisce con brutale noncuranza:

«Macché handicappata! È immatura! Il suo comportamento lo dimostra! Non dobbiamo incoraggiare chi ha un difetto, dobbiamo stimolare a vincerlo!»

Il preside, al di sopra delle lenti, guarda nella nostra direzione. È un uomo paziente, mite, studioso di Zanella, a sei mesi dalla pensione: quarantatré anni di scuola gli hanno insegnato che nel *rispetto della disciplina* c'è una parola superflua ed è *disciplina*. *Rispetto* basterebbe.

«Ci scusi» gli dico, anche a nome di Cornali.

Lui annuisce, riportando gli occhiali in cima al naso.

Sento che quel *ci* è stato un pronome lenitivo per Cornali. Il complemento oggetto ci ha uniti, sia pure grammaticalmente. Ma la grammatica agisce più di quanto pensiamo su ciò che ci resta di oscuro nell'inconscio.

Con voce quasi impercettibile, non molto dissimile da quella della ragazza, gli sussurro:

«Mi spiace di averti parlato così.»

Lui fa cenno di sì con la testa, forse perché non vuole commentare o forse perché non vuole inquietare il preside.

Aggiungo:

«Scusami.»

Lui stringe le labbra pensieroso. Immagino che si ritenga risarcito e soprattutto esentato da un seguito problematico delle ostilità.

Commetto un errore:

«Che voto le dai?»

«Quattro» mi risponde.

La lotta per salvare la ragazza dalla condanna si protrasse per mesi (uso il passato remoto che riservo agli eventi storici, almeno nella mia grammatica privata). E si inserì in una campagna più vasta, condotta da Cornali contro il mio metodo di insegnamento.

Cornali si considerava l'araldo di una pedagogia nuova. Proprio lui che umiliava, inventandosi una sordità, chi era già umiliato dalla sorte, proclamava di agire per la liberazione degli studenti. Aveva proposto e ottenuto – non senza l'opposizione tacita dei più sensibili – di farsi contraccambiare il tu. Molti del resto pensano che l'uguaglianza riguardi anche la grammatica dei pronomi. E non hanno tutti i torti. Ma spesso vorrebbero liberarsi anche della grammatica.

Chiedendo agli studenti di considerarlo un coetaneo, Cornali li metteva in imbarazzo, dati i trent'anni di differenza. Assomigliava a quei genitori che si professano amici dei loro figli, illudendosi di condividere con loro non solo i giochi, ma l'età.

Un passo successivo era stato di sostituire il voto dell'insegnante con quello dello studente. Un esperimento che io stesso avevo abbandonato, il secondo anno di insegnamento, dopo averne constatato i pericoli: gli studenti più consapevoli e orgogliosi, tentati da fiere autolesioni, si assegnavano il voto più basso. Quelli più furbi e ilari, il più alto. E tutti eravamo insoddisfatti, la classe e io. Cornali invece, saltando la verifica dell'esperimento – fase di cui gli ideologi non hanno alcun bisogno – era addirittura passato alla sua correzione. Correggeva infatti, migliorandoli, tutti i voti, gratificando tutti: sia i più preparati, che passavano dal loro sei, quaresimale e punitivo, a un otto entusiasta, sia i meno meritevoli, che arrivavano a una qualificazione generosa. La sua classe, popolata di geni in atto e di talenti in ombra, era stata sollevata e quasi travolta da una ondata di euforia. Lo apprendevo da lui stesso, che faceva confronti con la mia classe.

«Vedi» mi diceva con l'aria pacata e meditativa degli aggressori occulti. «Tu dai del *lei* agli studenti e lo capisco, perché sei molto più giovane di me e hai bisogno di distanza, che scambi per autorità. Ma io alla mia età posso permettermi il *tu*, perché non devo simulare l'autorità. Io ce l'ho e ci rinuncio.»

Era una di quelle menti in perenne effervescenza, in cui le idee ribollono e si rimescolano, gestite da una cucina irresponsabile. I singoli ingredienti sono apprezzabili, il sapore è gradevole, ma l'insieme è incommestibile.

«So che tu tieni alla disciplina» aggiungeva. «E anche questo è un segno della tua vecchiaia precoce. La disciplina è una eredità autoritaria.»

«No» gli dicevo. «È il contrario. È autoritario il caos della tua classe, dove chi ha la voce più alta domina gli altri. Io pretendo che, quando spiego o qualcuno domanda, gli altri possano sentire. Altrimenti vadano altrove.»

«Lo vedi che sei un insegnante all'antica?» replicava lui, come se scoprisse un criminale. «Tu pretendi il silenzio.»

«Certo» rispondevo. «Come un pianista. Io per suonare e gli altri per sentire.»

«Quello che mi meraviglia» aveva concluso lui, pensieroso, «è che gli studenti ti rispettino. Eppure tu sei troppo esigente.»

Mi guardava, nella confusione radiosa delle sue

idee, con uno stupore autentico. Non immaginava infatti che gli studenti mi seguissero anche per questo. Né lo faceva riflettere il crollo delle classi dove la disciplina era crollata e il preside non ne colpiva più le violazioni.

«Anzi!» esclamava. «Una conferma di più! L'autorità, la superiorità riconosciuta di cui parla Horkheimer, non ha bisogno di coperture!»

(E chi non ha autorità, pensavo, che cosa deve fare?)

La sua logica perversa, la sua ragione parziale che pretendeva di essere totale, generava nuovi equivoci. Che io ottenessi ascolto senza minacce né sanzioni, lo confortava a negarle – in nome di un criterio falsamente paritario – a tutti gli insegnanti. Finiva così per giustificare l'indisciplina, infierendo contro i colleghi che non erano capaci di reprimerla.

«Una ragione ulteriore per garantirli» gli obiettavo. «Se non sanno imporsi dobbiamo lasciarli in balia della classe?»

«Peggio per loro» mi diceva, con una ferocia lampeggiante negli occhi.

«E la loro materia» gli chiedevo, «chi la impara?»

«Nessuno» mi rispondeva impavido.

Così infatti avveniva. Non si trattava del suo futuro. È questa la verità cinica che mi si è fatta chiara nel corso degli anni. Anche se cinico è un aggettivo che viene spesso riservato non a chi incarna un comportamento, ma a chi lo denuncia.

Classi intere disertavano, materialmente o idealmente, interi corsi. Si udivano, passando in corridoio, professoresse che gridavano non per impetrare silenzio, ma per sovrastare le urla. A volte riuscivano improvvisamente a ottenerlo, perché gli alunni si lasciavano scuotere da quelle invocazioni, tra esasperate e stridule.

Cornali, più che parteggiare per gli studenti, si accaniva contro le colleghe. La sua captazione rabdomantica delle cause sbagliate gli faceva infatti trascurare le ragioni più importanti e condivisibili di quella generazione in rivolta: benché nella nostra scuola ne arrivassero solo echi fiochi e attutiti. La mia posizione, ora di adesione ora di dissenso, gli appariva, anziché una scelta problematica, una strategia prudente. Una volta mi aveva accusato perfino di intelligenza. Un'altra mi aveva rimproverato la capacità analitica, ritorsione tipica di chi è sprovvisto anche di quella sintetica. Il suo contributo più consistente al rinnovamento della scuola era stato lo sgretolamento della disciplina. Non so come sia la situazione oggi, ho lasciato l'insegnamento da troppo tempo. Temo sia, sotto questo aspetto, peggiorata, perché allora l'indisciplina era rivoluzionaria, oggi è istituzionale. Gli insegnanti più capaci la neutralizzano prodigando la propria passione didattica. Non sono la maggioranza. Gli altri, abbandonati da terra in alto mare, si comportano come è inevitabile in caso di naufragio: alleggeriscono il carico. Pretendono sempre di meno e così – almeno nei documenti burocratici, diventati il sacrario della nuova scuola – ottengono sempre di più. Non c'è come abbassare il metro di valutazione per innalzare il profitto di una classe: compromesso spesso taciuto dalla umiliazione dei docenti quanto ignorato dalla inesperienza degli alunni. Questo almeno mi confessa qualche insegnante sincero, a meno che io frequenti cattive compagnie.

Cornali, che caldeggiava l'abolizione del voto di condotta (una istanza che il futuro avrebbe reso superflua), aveva introdotto nel suo corso una innovazione: lo studio regressivo della storia dell'arte, dal Novecento fino alla età della pietra. Che sarebbe come suggerire a qualcuno, per rendere più spedito il percorso, di camminare all'indietro. Gli alunni avevano dapprima aderito con curiosità, attirati dalla novità della proposta. Poi si erano accorti che l'andatura era più lenta, esigeva soste continue e ricognizioni nei due sensi per non incespicare. Ma ormai era troppo tardi per ritornare all'antico.

«Io non voglio fare confronti» mi diceva, come premette chi si accinge a farli. «Ma la tua classe ti obbedisce, la mia mi segue. Tu incuti soggezione negli studenti, io simpatia. Io li faccio sentire geni, tu lavoratori.»

Lo ascoltavo divertito, c'era un calore genuino nel geyser delle sue idee, che appariva il tratto più simpatico del suo carattere. Si considerava, e amava ripeterlo, un creativo, dote che lo autorizzava a proporre le ipotesi più improbabili e a cancellarle lui stesso con un gesto della mano, come follie di un genio mondano in libera uscita. Una citazione dei Veda, una frase di Lao-tzu, una massima di Confucio davano alle sue parole, almeno nelle sue intenzioni, il passo fluttuante di una danza orientale. E l'impressione in effetti era di leggerezza, purché non si indugiasse su quello che diceva. Come molti cosiddetti creativi aveva più interesse per la creazione che per il suo oggetto. Solo che alla fine voleva l'applauso per quest'ultimo (e non gli mancava). Nella sua singolarità era un prodotto in serie, tipico della nostra società, ma non lo sapeva. Probabilmente avrebbe avuto orrore a rispecchiarsi in un suo simile, prova che la vita gli aveva risparmiato.

«Nove mesi per fare un bambino» gli rispondevo con deludente monotonia. «E la scuola dura nove mesi. Vedremo alla fine chi avrà ragione.»

«E come farai a stabilirlo?»

«La reazione della classe. È il test migliore.»

Alla fine il maestro aveva avuto, prima degli scrutini, un *coup de théâtre*. Aveva comunicato a ogni studente il voto che avrebbe ricevuto e svelato contemporaneamente i rapporti di scala: ai più bravi aveva riservato i voti più bassi (per non avere impiegato al meglio i talenti posseduti), ai più deboli i voti più alti (per premiare i loro sforzi).

La classe reagì nel modo che chiunque, tranne il profeta, poteva prevedere: con un silenzio attonito, una catastrofe emotiva. Sgomenti, costernati, a testa bassa, conoscendo i miei conflitti con Cornali, gli studenti erano venuti da me a chiedere conforto. I migliori non sapevano riaversi dall'ingiustizia di una classificazione inferiore a quella dei peggiori. Cornali se li era figurati – con la depravazione immaginativa ricorrente negli ideologi – del tutto insensibili al voto. Ora trovare un giovane insensibile al voto è altrettanto raro che trovarne uno insensibile al denaro. Quanto agli insufficienti, Cornali li aveva previsti raggianti per l'agognato salto di qualità. E in effetti un sei li avrebbe appagati, ma l'otto li aveva avviliti, equiparandoli a inetti da gratificare senza misura e senza speranza. Il più deluso era comunque Cornali, stupefatto che la nuova generazione non generasse un uomo geneticamente diverso dalla sua.

La sua visione della Storia lo induceva a immaginare l'uomo nuovo come uno di quei mostri extraterrestri che hanno il cranio enorme e le gambe filiformi. La testa doveva infatti accumulare l'esperienza dei millenni, mentre il corpo replicava la fragilità del bambino. Scoprire invece che ricominciavano daccapo gli aveva fatto vedere nella luce del tramonto quel mondo che gli altri vedevano nella luce dell'alba.

L'aspetto più sconcertante della sua condotta, alla fine di quell'anno turbolento, era stato il suo accanimento contro la ragazza. L'energia con cui difendeva il diritto dei disabili era pari alla ostinazione con cui la perseguitava. Per lui però non c'era contraddizione. Era convinto che la ragazza non fosse disabile. Aveva riluttanza a credere ai disturbi della mente, forse perché se ne sentiva minacciato. E tendeva ad attribuire a una volontà inerte, a una pigrizia innata, a una viltà occulta l'incapacità di superarli con la ragione. Soffriva di una distorsione duplice nello sguardo, scambiando i sintomi per scelte volontarie e pensando che una punizione motivata li avrebbe esorcizzati per sempre.

Avevo ulteriormente riflettuto, frequentandolo all'interno della scuola, sul tema delle contraddizioni. Ed ero arrivato alla conclusione che comunque per gli uomini le contraddizioni non esistono. Esistono sul piano verbale, esistono sul piano logico-matematico. Ed è innegabile che gli uomini possono dire una cosa e farne un'altra, ma nella loro mente non esistono contraddizioni. Le persone più miti e i criminali più crudeli possono ricorrere, è vero, al principio di contraddizione per giustificare i loro errori, ma la loro condotta si potrà finalmente capire solo rinunciando a quel principio: se si cercherà una coerenza inafferrabile, una finalità ignota, una coazione irresistibile. Alla fine l'azione non apparirà contraddittoria, ma necessaria: e il principio di contraddizione, applicato in quel caso, assurdo.

Non sto parlando della ragione di Cartesio. Né della regione in cui i viaggiatori del sogno si perdono e si ritrovano. Sto alludendo piuttosto all'individuo, cioè al nucleo più misterioso e più oscuro, e alla veglia delle sue parole.

La ragazza aveva capito che Cornali, difendendo i disabili e accusando lei, non era vittima delle contraddizioni, ma le piegava a un volere incoercibile. Usava, per conseguire questo risultato, l'arma più losca e più efficace, la ragione. E alla fine aveva ottenuto che lei sí rifiutasse di rispondergli, chiudendosi in un mutismo colpevole e senza varchi. Lui me lo aveva raccontato con un'aria di trionfo, come la conferma definitiva della sua immaturità. È curioso che il concetto di maturità sia quello più invocato dalle persone immature. Ma anche qui si tratta di una contraddizione apparente: in realtà, accusando l'immaturità degli altri, difendono la propria.

La ragazza aveva rinunciato, nell'ultimo mese, a studiare la materia insegnata da Cornali. Seguiva con un interesse silenziosamente polemico le sue lezioni, anche perché lui era tra i pochi che sapevano tenerle. Non vorrei contraddirmi, verbo fatale, con quanto ho detto prima, ma Cornali era una mente squarciata da lampi di intelligenza non meno che di idiozia. Anche per i disabili, che allora venivano semplicemente respinti dalla scuola, si era accanitamente battuto per farli accettare. È stato in quel periodo che, sia pure tra sopraffazioni e violenze, si è per la prima volta affrontato, in modo radicale, il nodo della integrazione. Questo non si deve dimenticarlo, in un'epoca che fa dei continui bilanci l'occasione di nuove iniquità e discriminazioni.

Allo scrutinio finale, quando arriviamo al nome della ragazza, Cornali non esprime un giudizio. Ognuno di noi la sostiene con argomenti corroboranti, lui tace. Il preside, che cerca di conservare nel *lei* dedicato a ogni insegnante gli ultimi lembi dell'autorità, gli si rivolge con pazienza:

«Ci dica almeno il suo voto.»

«Promossa» risponde Cornali.

La fotografia

«Fermo così!» gli intimo, mentre si volta, le braccia tese, aggrappato all'asta dell'ombrellone, i piedi immersi nella sabbia, il corpo diagonale che forma una ipotenusa. Ma già la bocca si contrae, il sorriso è diventato una smorfia. Cade all'indietro a palme aperte, mentre premo il pulsante fuori tempo.

«Ricominciamo» gli dico.

Lo rovescio bocconi nella sabbia e gliela cospargo sulla schiena fino a sommergerlo, come la nostra vicina di sdraio, una ottantenne raggrinzita dall'età e dai raggi ultravioletti. È convinta che il sole sia la fonte della salute e che quanto più le penetrerà nella carne avvizzita, tanto più sarà prossima alla immortalità. Morirà l'anno dopo, come una scolopendra fulminata in una fornace.

«Reggi la faccia con le mani» gli dico.

Lo fa, ma i gomiti scivolano nella sabbia e il mento vi affonda.

Lo aiuto a rimettersi in posa. Quando però accosto l'occhio all'obiettivo, lui è di nuovo disteso.

«Non riuscirai mai a riprenderlo in questa posizione» mi dice Franca sollevandolo per le ascelle e scuotendogli via la sabbia. «Sarebbe difficile anche per noi.»

Ecco una frase che ricorre di continuo in chi assiste i disabili. *Noi* come termine perenne di confronto, simbolo di una normalità suprema, traguardo irraggiungibile quanto comune.

Insiste:

«Perché vuoi fotografarlo in questa posizione?»

Non lo so neanch'io, avevo in mente un putto appoggiato con i gomiti alla cornice di un quadro rinascimentale. Come mai cerco modelli così remoti e assurdi?

Lo faccio accovacciare nella sabbia e gli scavo intorno una buca. Lui cade in avanti sporcandosi la faccia. Non piange perché capisce che sono io il responsabile dei suoi guai e mi rivolge uno sguardo tra il rimprovero e la protezione. A volte con me è paterno, è uno dei tratti che mi commuovono.

Lo ripulisco in fretta, lo rimetto seduto con le gambe accosciate, come un piccolo Buddha.

«Ecco, fermo così, non muoverti!»

Ripeto la frase tipica di mio padre, tra i pochi che in villeggiatura, prima della guerra, possedeva la leggendaria Zeiss tedesca, quando mi fotografava sui prati di Caglio.

Il piccolo Buddha vacilla prima di precipitare in avanti. Premo il pulsante mentre alza il viso intimorito verso di me. Nella fotografia ha acquistato un'aria seria, preoccupata, normale.

«Scegliamo questa!» punta il dito Franca, inserendola nel quadro di vetro che è a metà del corridoio.

Il fratello

La famiglia si difende contro i nemici. Alimenta anzi la percezione del pericolo (come Roma alimentava, dice Sallustio, la paura, per ritrovare la saldezza interna). Ma poi scopre il nemico in casa. Paolo ha un nemico. Suo fratello.

Alfredo è maggiore di tre anni. Anche lui ora ha un nemico in casa. Prima era l'unigenito, non doveva dividere i genitori con un rivale, suo era il regno.

Da che cosa si tradisce? Dal riso. È il riso che rivela gli uomini, non il pianto. Molti sono gli animali che piangono, ma a ridere, che io sappia, sono state solo le scimmie antropoidi. Poi arrivano gli uomini.

Alfredo ride per ragioni spesso incomprensibili. Se suo fratello si stacca dalla parete del corridoio per arrivare all'altra in tre passi, lui ride osservandolo a distanza, accovacciato all'ingresso della sua camera. Quando Paolo piangeva a fatica, con un gemito soffocato, flebile, che gli faceva trattenere il fiato come a noi (è una angoscia che una persona non riesca a piangere), lui rideva con un riso convulso.

«Riso nervoso» diceva Franca, rinnovando una espressione imparata probabilmente nell'infanzia. Una volta infatti i nervi erano l'inconscio. «Esaurimento nervoso» si diceva di chi era scavato dalla nevrosi. «Forte esaurimento nervoso» quando crollava sotto i colpi del nemico interno. Se invece dava in escandescenze, si diceva «pazzo».

Io ho cominciato a sospettare del riso di Alfredo.

Rideva quando suo fratello incespicava. «Riso idiota» commentava Franca con una variazione. Ma, al mio sospetto, aggiungeva che tutti ridiamo quando qualcuno cade.

«Al cinema» replicavo.

«No, nella realtà. Siamo tutti sadici.»

Questa conclusione, presentata in modo così ecumenico e accattivante, aveva avuto il potere di confondermi. Ma un'altra volta – quando Alfredo aveva riso vedendo il fratello precipitare per una scala – le avevo chiesto: «Perché tu non ridi?». Questa obiezione aveva sconcertato lei. Si era rifugiata, per difendere Alfredo, dietro l'alibi che riserviamo ai giovani quando ci feriscono e cioè che sono giovani.

Io però avevo continuato a pensarci. Uno può non preoccuparsi di una piccola catastrofe. Può rimanere indifferente. Ma se ride? Riso nervoso? Riso idiota? No, riso di felicità. Si ride al cinema se l'arrogante scivola, se il tiranno si accascia, se il malvagio soccombe. Era questa la chiave di tutto: il nemico cade.

Il nemico di Alfredo era suo fratello e, quando lo vedeva in difficoltà, ne traeva un effimero quanto sterile refrigerio. Rideva più spesso di prima e tradiva una sinistra euforia, una allegria amara. Paolo si accaniva in una impresa allora disperante, allacciarsi una scarpa. Solo da due anni vi riesce ed è una delle conquiste indispensabili per parlare di autonomia, almeno secondo un manuale di riabilitazione (non so se essere rassicurato o sconcertato da questo traguardo, comunque prezioso per il nostro orgoglio). Lo impedivano non solo l'impaccio delle mani, ma il peso del corpo, che a un certo punto rompeva l'equilibrio e lo faceva precipitare in avanti. Alfredo assisteva rapito a questi vani tentativi e sua madre, entrando una volta nella stanza, lo aveva aggredito: «Non puoi dargli una mano? È tuo fratello!». «Appunto! Dovrei aiutarlo? Deve imparare da solo!» Infinite sono le ragioni con cui gli altri ci negano l'aiuto, ma la più astuta è che vogliono aiutarci. «Muoviti!» lo aveva assalito Franca, dandogli una spinta con il braccio e facendolo cadere a sua volta.

Mi stupiva non che l'odio fosse nato, ma che persistesse. Ne avevo parlato un giorno con una amica psichiatra e lei aveva sorriso compiaciuta, come se ritrovasse una vecchia conoscenza. Mi era ritornato in mente, non so per quali associazioni, un naturalista avvicinato a un Club Mediterranée che, di fronte a un cervo volante stretto tra le dita, aveva avuto un lieve deliquio scientifico, mormorando «*Lucanus cervus*». Anche lei era trasalita. «Caso comune» aveva sospirato (siamo sempre confortati quando troviamo normale l'assurdo. Grazie a questo lo sopportiamo).

«Pura invidia per il fratello minore» aveva spiegato, «coccolato dai genitori e al centro dell'attenzione.» «Sì, ma per i suoi problemi.» «Che importanza ha?» aveva replicato: «lui ha finito di essere il sole per diventare un satellite. Non potrà mai perdonarglielo. Sono ferite che non si rimarginano».

Non ho mai capito perché nell'inconscio le ferite non si rimarginano. Quasi tutte le ferite si rimarginano, ma nell'inconscio sanguinano tutta la vita. Forse perché sono inconsce, cioè le conoscono tutti tranne l'interessato. Alfredo non si rendeva conto, almeno in apparenza, di odiare Paolo. Una volta gli avevo descritto, con pazienza, la condizione di suo fratello e l'avevo confrontata con la sua. «E allora?» mi aveva chiesto. «E allora devi aiutarlo.» «Perché, non lo faccio?» «No, tu fai il contrario.» Non dimenticherò mai il suo pianto, prima querulo, poi sempre più alto. Ero riuscito a interromperlo solo scuotendolo. «Ragiona!» gli avevo gridato sul viso. «L'ultima cosa che dovevi dirgli» mi aveva confortato la mia amica. «È solo l'amore che può lenire le ferite. Tu devi amarlo più di prima.»

Io però lo amavo sempre meno. Era questo che

mi preoccupava. Tutto si può comandare tranne ciò che si prova. Eppure gli altri non fanno che suggerirtelo. Costruiscono sistemi coerenti, postulano comportamenti matematici e traggono deduzioni inevitabili. Se ami devi reagire così. Ma io provo cose diverse. Franca se ne stupisce sempre meno, l'altra mi accusa. Quante volte ho finto di reagire come si aspettavano? Certo la mia era una finzione, ma siamo sicuri che il loro teorema fosse rigoroso? E che le reazioni che io simulavo fossero le uniche "giuste"? La vita ne sa di più che un teorema. Comunque io le sentivo ingiuste, almeno per me, e forse maturare è rispettare l'ingiustizia delle proprie reazioni. Forse maturare è sostituire alla giustizia delle convenzioni l'ingiustizia della libertà. Anche se questa – me ne sto rendendo conto – potrebbe essere l'introduzione a un manuale del criminale.

Alfredo, che deludeva le mie aspettative, avrebbe potuto invocare gli stessi alibi. Se provava avversione per suo fratello, era colpa sua? E io forse non deludevo le sue aspettative di comprensione, se non di solidarietà? Le ragioni dei deboli ci colpiscono solo quando diventano le nostre.

Alfredo era stato di colpo spodestato e non sapeva rassegnarsi. Inoltre non provava alcuna simpatia per suo fratello. La fragilità che avrebbe dovuto intenerirlo – ancora il verbo "dovere" – aumentava invece la distanza. La patologia lo allontanava, la diffidenza si tramutava in repulsione.

Capivo quello che provava perché a volte lo provavo anch'io.

Questo me lo faceva apparire estraneo. Riluttiamo ad accettare, ingiganiti negli altri, i difetti che temiamo di avere. La differenza di scala congiura con il rimorso a renderli intollerabili. Io vedevo sul viso di Alfredo una smorfia di disprezzo appena Paolo, ricevendo il pallone di gomma sul petto, cercava di afferrarlo quando non poteva più farlo e il pallone era già rimbalzato sul pavimento. Se la cosa si ripeteva, Alfredo rideva. Ecco la differenza tra me e lui. Io ero esasperato, lui soddisfatto (non ci mancano mai i confronti a nostro favore). Ma Paolo, in mezzo a noi due, a volte non resisteva e cominciava a piangere con le mani aggrappate al pavimento, come se anche questo dovesse sfuggirgli.

Il direttore della scuola elementare è un disabile. È zoppo e, quando cammina, compie a ogni passo una minuscola genuflessione, stendendo a lato la gamba sinistra. Quando è seduto appoggia spesso il mento a un bastone, che pianta davanti a sé come una mazza.

Mi accorgo, descrivendolo dopo tanto tempo, che non ho mai saputo, né cercato di sapere, la causa della sua minorazione. Poteva essere un invalido di guerra come una vittima della poliomielite. Questa disattenzione, tanto più significativa in un caso come il mio, mi insegna qualcosa sulla distanza che ci divide dai disabili.

La sua menomazione era comunque occultata da una energia impressionante. Si alzava con violenza dietro la scrivania, ruotando la gamba rigida. E quando in corridoio avanzava alto, scheletrico, la barba ispida, curvo sul bastone, con la sua andatura a balzi, maestri e bambini si ritraevano lungo i muri. Chi invece si accorgeva troppo tardi del suo arrivo si sottraeva con un guizzo alla sua vicinanza. E lui, che percepiva intorno a sé quella atmosfera turbata, non mancava di intensificarla alzando il bastone, per indicare un punto o una persona e trasformare un gesto in una minaccia.

Sapevo che era temuto, all'interno della scuola, come un donnaiolo invadente. Le insegnanti dovevano difendersi dalla sua rapacità rozza. Alle più anziane chiedeva una spiccia solidarietà sessuale, un soccorso immediato e temporaneo. Alle più giovani dedicava un assedio più cauto, ma non meno insistente. Convocato una volta dal provveditore, su denuncia di una sua sottoposta, era riuscito a capovolgere l'accusa in un tentativo maldestro di corruzione. Forse oggi, voglio sperarlo, non succederebbe. Ma allora si era persa la speranza, come aveva detto la sua vittima, di inchiodarlo alle sue responsabilità. Né mancavano, nel personale cosiddetto non docente, donne che avevano avuto con lui rapporti intimi, una espressione che nel suo caso evocava qualcosa di losco e di sordido.

Questo satiro di campagna irto e loquace, emigrato nella metropoli, era un cacciatore di successi fulminei quanto effimeri, di piaceri strappati grazie alla sorpresa e alla intimidazione, e di legami vischiosi con donne sfinite da disperazioni inconfessate. A me ricordava i saccheggiatori di rovine, gli sciacalli dei terremoti, che una volta venivano fucilati sul posto, espressione impagabile (una variante era "passati per le armi"): una terminologia che ha sempre appagato, con la copertura dell'equità, il mio istinto dell'omicidio.

È un peccato non poter estendere la pena ai ladri di anime, oltre che di corpi. Detesto i collezionisti di furti sessuali, disposti a qualsiasi inganno pur di ottenere ciò che gli stupratori dei corpi ottengono con la violenza. Questi stupratori di anime vengono talora scambiati per seduttori, ma c'è qualcosa che li distingue, a parte l'identità apparente dell'oggetto (mai parola più adeguata) del loro desiderio: ed è che non sono mai presi dalla preda, mai vinti dalla sconfitta della vittima. Corteggiano le donne con la stessa determinazione cupa con cui i misogini le evitano: entrambi infatti le odiano, sia pure con modalità e conseguenze diverse. Il loro disprezzo coincide con l'immagine di sé condivisa dall'altra parte, le dà una conferma e un suggello. E l'uomo ne ricava l'alibi per ricominciare ogni volta la caccia.

Il direttore della scuola elementare Martin Luther King forse non pensava neppure a questi alibi. Gli unici effetti che lo interessavano erano quelli penali. Ora i ladri di anime sono certamente più immorali che i ladri di una mela (il frutto biblico prediletto in questo genere di metafore), ma nessuna legge li perseguita. L'intenzione infatti, se non si trasforma in reato, non è mai una colpa. Ed è questo il minuscolo abisso che separa i due codici, penale e morale.

Con questi pregiudizi ben sedimentati, incontro il direttore al primo piano di un edificio costruito recentemente, fatto di cubi dislocati, collegati da scale, ponti e corridoi aerei. In un'area costellata di prati e di piante, una impressione novecentesca di leggerezza e di spazio, anziché la segregazione lombrosiana in cui è immersa la mia scuola.

Lui mostra una ruvida cortesia nel parlarmi, come dice, da collega a collega e nell'invitarmi a darci del tu, visto che ha il malinconico privilegio di essere più anziano. Mi spia con occhi arrossati dalla eccitazione, sopra le guance incavate. Accenna subito, indicando la gamba rigida che sporge a lato della scrivania, alle disgrazie che ci uniscono. C'è una tetra, selvaggia allegria in questa solidarietà indiretta, l'umore ilare e acre di chi è abituato a condividerlo con se stesso e con i sottoposti, che non hanno scelta.

Poi aggiunge:

«Parliamoci chiaro.»

Ho sempre temuto questa frase, che non è mai un invito alla trasparenza, ma l'apertura delle ostilità.

«Tu hai avuto una grande fortuna a trovare un direttore come me.»

Mi guarda per valutare l'effetto delle sue parole:

«Se c'è qualcuno che può capire i problemi dell'handicap, questo sono io.»

Annuisco gettando uno sguardo discreto in direzione della gamba.

«Qui tuo figlio avrà tutta l'assistenza di cui ha

bisogno. L'insegnante giusta, la classe giusta, il pianterreno.»

Dovrei essere contento e infatti lo sono. Ma mi sembra un operatore turistico o un agente immobiliare che mi sta magnificando un prodotto per giustificare il prezzo. Quale sarà il prezzo?

«Tu non avrai da preoccuparti. Solo il trasporto, ecco, a questo devi provvedere tu.»

«Verrà in automobile o in go-kart» lo rassicuro. «Ci penserà mia moglie.»

«Allora siamo a posto. Però...» si interrompe soprappensiero, come se mi valutasse alla luce di una idea che gli attraversa la mente. Per il momento soprassiede. «Anche per gli intervalli, le interruzioni e le assenze non c'è da preoccuparsi. Immagino che tuo figlio abbia bisogno di un occhio particolare.»

Esito:

«Sì. Meglio metterlo in conto.»

«L'insegnante è la migliore che posso darti. È una biondina che viene da Bolzano. Si chiama Bauer. Non le manca nulla, tranne un po' di comprensione per gli uomini.»

Mi scruta:

«Ti piacciono le donne, eh? Qui ce n'è un discreto assortimento. Ah, se non fosse per la gamba!»

La distende lateralmente, simulando un accesso di dolore.

«Mi arrangio come posso» prosegue. «Ma non posso farne a meno. Sai che cosa diceva non ricordo chi? Che per lui era indispensabile come il cibo. Lo stesso vale per me.»

Aggiunge:

«Sono rimasto vedovo dieci anni fa. Meglio così, poveretta. Non sono fatto per il matrimonio.»

La segretaria, affacciandosi sulla porta alle mie spalle, deve avergli rivolto un cenno, perché lui annuisce e lei gli porta una cartella aperta, con alcuni fogli da firmare.

Lo vedo controluce, sullo sfondo di una immensa vetrata, e mi sembra la silhouette del diavolo zoppo, sceso da un comignolo per insediarsi in questo palazzo di vetro.

«A che cosa pensi?» mi chiede.

«A niente» mento (come sempre, quando si risponde così).

«No, anzi» mi correggo. «Pensavo alla impressione che dà la tua scuola.»

«E cioè?»

«Che sia efficiente, che funzioni bene. Del resto me ne avevano parlato.»

«Ah, sì?» mi chiede, tra incuriosito e apprensivo.

«Sì» rispondo, «l'unica riserva che ho sentito in giro riguarda le tue avventure.»

«Quali?»

«Con l'altro sesso.»

Non credo di avere usato mai questa espressione, che mi sembra un ponte tra evoluzionismo e solitudine. È dovuta probabilmente alla sua presenza. Mi guarda deluso:

«E tu dai retta a queste sciocchezze?»

«No. Te le riporto.»

Alza le spalle:

«Acqua passata. Io non ho mai forzato nessuno. Siamo un paese libero, non ti pare?»

«Certo» rispondo.

«Ho avuto qualche anno fa un problema con una insegnante» continua. «Ma ha dovuto fare le valigie e tornarsene in provincia.»

Mi guarda con i suoi occhi balenanti:

«Una poveretta.»

Stessa parola che per sua moglie (disprezzo delle persone e disprezzo del linguaggio).

«Che cosa vuoi!» continua, allargando le braccia. «Faccio piccolo cabotaggio. Navigazione a vista.»

Aggiunge:

«Dobbiamo distrarci un po', non ti pare? La vita è già stata dura con noi. Io ne so qualcosa.»

Mi osserva:

«Ma anche tu hai i tuoi guai. Qualche compensazione dobbiamo prendercela. Che cosa ne dici?»

«Certo» rispondo.

Più che una intesa cerca una connivenza e la ottiene. Siamo così arrendevoli nel dialogo! Almeno quanto inflessibili nel monologo.

«Non sarai per caso un moralista?» mi chiede a un tratto con sospetto.

«No» sorrido. Mi sento come un potenziale delatore. «Per me non c'è niente di peggio.»

«Anche per me.»

Per trovare un accordo sulle cose, fingere di trovarlo sulle parole.

Continua a osservarmi con una certa curiosità:

«Te lo chiedo perché ho l'impressione che io e te possiamo intenderci.»

«Infatti.»

«Tu avrai almeno vent'anni meno di me, ma l'intelligenza non ha età, non ti pare?»

«Assolutamente» rispondo.

Mi accorgo di usare un linguaggio che non è il mio. Capita con chi riesce a ottenere da te il peggio. Di solito è un segno pessimo, per tutti e due.

«Tu vedrai che a tuo figlio qui non mancherà niente. Troverà solo amici, te lo garantisco.»

«Te ne sono molto grato.»

«Figurati» sogghigna. «Se non ci aiutiamo tra di noi. Io faccio una cosa a te, tu ne fai una a me. Non è così?»

«Assolutamente» ripeto.

Sono in attesa. So che ci voleva arrivare, ma non sapevo né quando né dove. Sentivo tutto il suo discorso gravitare verso questo punto.

«Anzi, a proposito» alza di scatto la testa, colpito da un pensiero improvviso. «C'è già una piccola cosa che ti vorrei chiedere. Posso?»

Mi guarda con un'aria sorniona, come se fosse sorpreso lui stesso.

«Certamente.»

«Tu forse sai che mi diletto di poesia. Dico "mi diletto" e tu mi hai già capito. Niente grandi ambizioni, soprattutto alla mia età. Forse da giovane.»

Penso che solo i dilettanti usano il verbo dilettarsi. Forse è giusto chiamarli così, visto che si chiamano così loro.

«Mai avuto pretese di alta letteratura, la lascio ai letterati di professione.»

Riconosco l'aggressività spregiativa, mascherata

da indifferenza, tipica dei dilettanti verso quelli che non lo sono.

«Però qualche riconoscimento l'ho avuto. Premio Gabbiano d'oro, Premio Radici. Cose da provinciali come sono io, ma fanno piacere.»

«Ti capisco» dico con convinzione. «Sono i riconoscimenti più puliti.»

«Proprio così!» esclama. Gli occhi sono accesi di furore. «Fuori dai giochi letterari!»

Annuisco con sobrie chiose. Sui premi letterari sono d'obbligo le frasi di circostanza, come ai matrimoni e ai funerali.

«Lì ci sono esperti veri, lettori veri!» aggiunge. «Non quelli delle case editrici titolate!»

Immagino il suo calvario con i lettori editoriali. Ma anche il loro.

«Comunque nel corso di una vita ho accumulato un piccolo capitale di poesia. Niente di remunerativo, purtroppo.»

Sorride:

«Non mi pento, però. La poesia è come le donne. Tempo guadagnato, non perso. Non sei d'accordo?»

Accenno a un gesto vago, non importa se di consenso o dissenso (importa comunicare).

«Infatti» continua. «Vedo che anche tu la pensi come me.»

Sospira:

«Vorrei fare una piccola raccolta, un florilegio, come si dice. Per darlo agli amici che me l'hanno chiesto, prima di tutto. Sono loro che insistono.»

È un dettaglio che ricorre nei racconti dei dilettanti. Comitati di amici che insistono per la pubblicazione. Forse è vero. I non dilettanti (non userò il termine arrischiato di professionisti) incontrano di solito meditate resistenze.

«E poi vorrei spedirla a qualche premio importante. Ma non pubblicata a mie spese. A spese di un editore e magari di un certo peso. Non ti sembra?»

«Mi sembra giusto» rispondo, imperturbabile e preoccupato.

«Anzi, guarda, eccola qui!» mi dice con una certa meraviglia, aprendo il primo cassetto della scrivania. «Ho portato il manoscritto da casa per gettargli ogni tanto una occhiata, qua e là, durante l'orario di scuola. Tu ancora non lo sai, ma sono incontentabile!»

«Lo immagino.»

«Continue correzioni, non sono mai soddisfatto. La parola giusta, come la chiamavano i francesi, non so mai se è quella giusta. Però ci provo!»

Estrae dal cassetto un grosso pacco di fogli, uniti da una serpentina e racchiusi tra due copertine di plastica rossa.

«Non vuoi dare una occhiata?» mi dice, sollevando la raccolta sopra la scrivania.

Me la consegna con la stessa rapidità con cui un commerciante passa un pacchetto al cliente sopra il banco.

La prendo tra le mani con finta delicatezza. Si chiama *Corpo a corpo*.

«Non so se sono la persona più adatta per giudicare» gli rispondo, fissandolo negli occhi. «Non mi sono mai occupato professionalmente di poesia contemporanea.»

«E perché? Bisogna essere professionisti?» mi risponde con spavalderia. «Tu hai tutti i numeri per capire se è poesia o non poesia. Non ti sei laureato in lettere come me?»

«Sì, ma giudicare la poesia è un'altra cosa» prendo tempo. «Bisogna conoscere i termini di confronto, avere un quadro di riferimento. Ti volevo solo preavvertire.»

«Uh, come la fai lunga!» ride, richiudendo il cassetto. «Parli di giudizio come fosse quello universale. Non stai decidendo per i posteri!»

Avvicina la gamba rigida alla scrivania e si sporge con il busto verso di me:

«Solo le tue reazioni, siamo intesi? Solo se le mie poesie ti dicono qualche cosa. Una volta chiedevo agli esperti se dovevo continuare o smettere. Nessuno mi ha mai risposto e io non ho mai smesso. Adesso sarebbe troppo tardi, ti pare?»

Ha una tipica cantilena dialettale. Come gliela invidio. Lo aiuta a trasformare una vita in una battuta, a collocare un individuo in una comunità, a togliere a lui l'impaccio e trasferirlo a me.

«Non darti troppo pensiero» aggiunge. «Non ti chiedo una investitura, solo un piccolo sforzo.»

«Ma certo!» reagisco con una vivacità immaginaria. «Quello lo faccio ben volentieri. Non è uno sforzo.»

Lui alza la mano come a parare un colpo:

«Aspetta un momento. Non è finita qui.»

Lo sapevo. È uno di quegli uomini con cui i conti non si chiudono mai.

«Dopo che le hai lette» riprende con calma, indicando le poesie tra le mie mani. «E solo dopo che ne sei convinto...» (Sembra che mi conceda una alternativa e in realtà me la toglie.) «Solo in questo caso puoi fare un piccolo passo per me.»

«Volentieri» rispondo, con una impudenza rassegnata. «Ma qual è?»

«Non indovini?»

Rifletto fulmineamente. Una prefazione? Ma non ho mai pubblicato. Una scelta dei suoi testi? L'ha già fatta lui. Un concorso nelle spese? Ma le aveva escluse.

«Tuo suocero» mi dice sereno, come se si arrendesse all'evidenza. «È un legale specializzato in contratti editoriali.»

«Come fai a saperlo?» gli chiedo.

Sorride:

«Solo tu devi avere informazioni su di me? Anch'io ho le mie fonti.»

«Sì, ma mio suocero che cosa può fare?»

«Molto.» Parla con asciutta fermezza. «È in contatto con i vertici delle case editrici più importanti. Una sua parola può tutto.»

Nessun potente ha mai avuto tanti poteri come agli occhi di chi ne ignora i limiti.

«Non deve spendere molte parole» continua. «Basta che mostri un interesse, come dire, preciso. Però» alza di nuovo la mano «bisogna che questo interesse ci sia. Che lui ne sia convinto. Io non voglio raccomandazioni.»

È la premessa che le introduce.

«Vedi» cerco di arginarlo, «non è che mio suocero segua la poesia d'oggi. È fermo a D'Annunzio.»

«Non è una cattiva fermata» ammicca. «E per il seguito ci sei tu.»

«Ma poi c'è una ragione più importante» insisto. «Mio suocero non ha quel potere che tu credi. Può farti leggere, ma non farti pubblicare.»

«Senti» replica lui con pazienza, come dovesse ricapitolare un problema con un alunno. «Mai sentito parlare di mafia?»

«Certo.»

«E l'ambiente letterario non è tutto una mafia?»

«Non tutto.»

«Una buona parte.»

«Una parte. Ma bisogna essere mafiosi. Perché sanno che se ricevi restituisci e se non ricevi ti vendichi.» Sto scoprendo una teoria della mafia che non mi è mai stata così chiara. «Però mio suocero non è mafioso. E perciò non hanno riguardo per lui.»

«Vuoi dire che non lo considerano?»

«No, lo considerano. Ma non lo temono. È questo che fa la differenza.»

Mi ascolta a testa bassa, perplesso e deluso. Sta sicuramente valutando altre possibilità. Conosco la protervia di chi depreca le raccomandazioni solo per reclamarle sotto un altro nome.

Rialza la testa:

«Non mi vorrai dire che ha problemi per un libretto di poesie.»

So che devo prevenire i suoi ricatti per non subirne di più pesanti domani.

«Può darsi che un altro al suo posto lo farebbe» gli rispondo. «Ma lui no.»

«È un uomo tutto d'un pezzo» suggerisce.

«Infatti.»

«Di quelli che si rompono in mille appena li tocchi.»

Rido.

«È un uomo all'antica» preciso. «Si muove solo nel campo che conosce. Dove ha autorità.»

«Che parola grossa!» esclama. «Autorità! Chi credi che abbia autorità, in poesia?»

«Non lo so. Un critico, un esperto.»

Mi osserva con un'aria di sfida.

«Tu no, ad esempio» dice. «Tu sei solo un professore. Non hai mai studiato poesie.»

Siamo arrivati al punto che temevo, al passaggio dalla ironia alla acredine.

«Vedi» cerco di sorridere, «io non sono un esperto. Ma in ogni caso non lo sono ai suoi occhi.»

«Perché?» mi chiede. «Perché nessuno è profeta in patria?»

«Anche» rispondo, confortato dalla citazione (sempre consolatoria per i casi veri e per quelli immaginari).

«Ma in generale, come ti considera?» insiste.

«Come uno che guadagna poco.»

«È decisivo?»

«Sì» gli rispondo. «Se hai interesse per la cultura, ma non guadagni, sei un piccolo maniaco. Al massimo ti rispettano. Se invece guadagni, la tua occupazione diventa importante. È diverso.»

«Conta solo il denaro!» commenta con un viso

acceso, non si capisce se di approvazione o di sdegno. «Il resto è chiacchiera.»

«Infatti.»

Rimane in silenzio, pensieroso. Non deve soddisfarlo la piega che ha preso la conversazione.

«Ma insomma!» esclama, con una truce energia. «Un favore non te lo negherà, con la disgrazia che ti è capitata!»

«Ha coinvolto anche lui» gli rispondo, come non mi fossi accorto della sua brutalità. Correggiamo mentalmente le battute degli altri, per continuare il dialogo. «Anzi, mi considera corresponsabile della situazione.»

«E perché?» mi domanda incredulo.

«Sei sempre un po' colpevole di quello che ti succede» gli rispondo. «Soprattutto se ne fanno le spese anche gli altri.»

È vero, ma sto esagerando. Lui se ne è accorto.

«Ne sei sicuro?» mi chiede.

Allargo le braccia:

«Credo di conoscerlo, sai.»

«E io credo di cominciare a conoscere te» annuisce lui, con un tono che non lascia presagire niente di buono. «Non ho ancora capito se lo sei o se lo fai.»

«Che cosa?»

«Il prudente. Ti muovi a passi così cauti!»

Mima con le mani i passi di un animale lento, circospetto, forse un orso o un bradipo.

«Sì, ma così non si ottiene né si costruisce nulla!» continua. «Nella vita bisogna fare!»

«Sono d'accordo.»

«Bisogna buttarsi!» rincara. «Se non rischi non conosci neanche i tuoi limiti!»

«Io credo di conoscerli.»

«Anche troppo!» esclama. «Ti fai tanti scrupoli, tanti dubbi! Se fossi come te, non sarei certo qui.»

«Ne sono convinto» gli rispondo.

Mi piacciono queste risposte a doppio taglio, che si prestano a essere interpretate in due sensi, positivo e negativo. Il positivo magari dall'interlocutore, il negativo da me. Lui però intuisce immediatamente il lato negativo.

«Sì, ma non credere che la cosa riguardi solo me» incalza. «Siamo tutti sulla stessa barca!»

Una minaccia, più che una constatazione.

«E se il timoniere sbaglia» prosegue con lo stesso tono concitato, «non va a fondo solo lui. Vai a fondo anche tu.»

«Certo» rispondo, anche se non capisco bene dove e perché mi sta imbarcando.

«Capisci quello che dico?» mi chiede.

«Sì, ma a che cosa ti riferisci?»

«A noi mi riferisco!» esclama. «Al tuo problema, che è diventato anche il mio. Perché io me ne faccio carico!»

«E io te ne sono grato, ti ripeto.»

«Già, grato» mormora, come se l'aggettivo non gli bastasse. «Tu sai come vanno le cose nella scuola. Devo aggirare io» si punta il dito sul petto «le leggi!»

«Io» rifà lo stesso gesto enfatico «dovrò ottenere quello a cui non ho diritto!»

«A che cosa alludi?» gli chiedo.

Sento un tremore nelle vene.

«Al numero limitato di alunni, ad esempio! Altrimenti la signorina Bauer si rifiuta di accettare in classe un handicappato!»

Aggiunge:

«E non so se riuscirò a ottenerlo! Non lo so!»

«No, scusa» e intanto penso *miserabile!*, «non puoi adesso farmi questo discorso!»

«Come non posso?» reagisce alzando la voce indignato. «Te lo faccio!»

«No, tu devi per legge ridurre il numero degli alunni» gli rispondo con calma, ma la voce mi si sta spegnendo per l'angoscia. «C'è un regolamento preciso e tu lo sai.»

«Sì, a discrezione del direttore, che valuta caso per caso. Non sono sicuro che la burocrazia mi conceda la classe ridotta!»

Comincia a mancarmi il respiro.

«È già successo una volta. E non l'ho spuntata!» aggiunge lui, con un trionfo maligno negli occhi.

«Ascoltami bene» gli dico, avvicinando la sedia alla scrivania. Cerco di parlare adagio, ma ansimo. «Io ti dico che un handicappato ha diritto a una classe con meno alunni! Mi sono documentato su questo.»

«Non abbastanza» insiste lui.

«Ma se per caso non otterrai una classe adatta alla Bauer» ora sono io a puntargli il dito contro e a ricuperare la voce, «tu non sai che cosa ti ritrovi!»

Lo guardo carico d'odio.

«Che cosa vorresti dire?»

«Che la tua scuola compare su tutti i giornali!

Perché non rispetta le nuove leggi. Perché è una vergogna che trionfi la burocrazia!»

Dico scuola e non lui, per conservare una distinzione irreale e salvare il salvabile. Lui se ne mostra consapevole e quasi grato.

«Giornali?» mi chiede. «Tu hai entrature nei giornali?»

«Sì, mio suocero! Per il bambino farebbe questo e altro!»

Il nome di mio suocero deve avergli squarciato la mente come una luce. Alza il viso:

«Non è il caso che te la prenda così tanto» replica pacato. «Ti facevo presente un possibile pericolo. Siamo qui per aiutarci, no?»

«Certo» rispondo.

Non riesco a proseguire.

«Lo vedi che tuo suocero qualcosa può» continua lui. «Io ne sono convinto.»

Aggiunge:

«In questo caso come in quello editoriale. Perciò mi permettevo di parlarti delle mie poesie.»

Non ho la forza di rispondergli.

«Nelle cose è decisivo il modo in cui le affronti. Quello che ti sembrava impossibile diventa semplice.»

Conclude:

«Anche per le mie poesie, vedrai.»

Lo ascolto sfinito, le gambe molli per l'emozione prolungata. Non posso giocarmi il futuro del bambino per questi ricatti. In Italia non siamo mai sicuri della legge. C'è sempre un potere più alto che può annientarci.

«Vedrò quello che posso fare» mormoro, alzandomi. Il colloquio a questo punto è finito. «Però non posso prometterti niente, non dipende da me.»

«No, credimi» ribatte. «Dipende da te.»

Si è alzato a sua volta scagliando a lato la gamba, con una violenza gioiosamente liberata. Fa il giro della scrivania appoggiandosi sul bastone. Quando mi arriva vicino, si rialza sul busto e, tenendo leggermente sollevata la gamba invalida, posa la mano libera sulla mia spalla:

«Nella vita basta intendersi. Non ci vuole molto.»

Metto nella mia cartella la raccolta delle sue poesie.

Lui aggiunge:

«Fammi avere presto tue notizie.»

Poi riprende il suo tono arguto, popolaresco:

«Una mano lava l'altra, eh? Tu che cosa ne dici?»

Cerco di sorridere, ma gli occhi quasi mi si chiudono per la stanchezza. Vorrei sdraiarmi sull'erba davanti alla scuola.

«Ciao» siamo arrivati alla porta. «Farò quello che posso.»

«Anch'io!» esclama lui.

Gli occhi gli ridono:

«E sai che cosa ti dico? Ce la faremo!»

Gli stringo la mano. Si è ormai stabilita tra di noi una solidarietà stremata.

Lui è contento:

«Vuoi che ti chiami l'ascensore?»

«No, scendo a piedi.»

«Beato te che non hai problemi!» mi dice. «Io devo sempre prenderlo.»

«Già» annuisco. «Se dovrà salire, lo prenderà mio figlio.»

«Lo prenderemo tutti e due!» mi grida lui alle spalle, mentre io comincio a scendere le scale.

L'isola felice

Prendiamo posto su sedie di ferro, collocate a semicerchio intorno a un tappeto elastico, dove sta accovacciata lei. Indossa una tuta nera che le ricopre il corpo lunghissimo, scheletrico. Controlla l'orologio da polso fosforescente e osserva con il suo sorriso sarcastico l'ultima madre che è entrata in ritardo, il trucco vistoso e l'aria disinvolta in una scia di profumo.

«La aspettavamo» le dice, mentre l'altra, senza cambiare il suo passo, si accomoda opulenta su una sedia in seconda fila. Suo figlio è un caso lieve, disturbi minimi alla deambulazione, destinati probabilmente a sparire con la fisioterapia. Ci guarda di solito con una curiosità vigile e distaccata, come una turista di prima classe in visita al ponte della terza. Tiene in ogni circostanza a sottolineare la gravità minore della sua situazione. Di fronte ai casi più dolorosi sgrana gli occhi con una solidarietà teatrale. Si intuisce che le offriranno paragoni ancora più rassicuranti. Non è l'unico genitore a reagire così, solo il più scoperto e forse il più stupido. Ma nessuno di noi è immune, siamo sempre lieti, confortando chi sta peggio di noi, di confortare noi stessi. La graduatoria degli handicap diventa oggetto di una competizione silenziosa. Se gareggiamo così tra di noi, non dobbiamo stupirci delle reazioni degli altri.

«Allora, mi ascoltate?» dice la dottoressa, rialzandosi a metà sul tappeto e appoggiandosi a un braccio.

È il primo degli incontri con i genitori promossi dal Centro, dice con una certa solennità. «Dovrete parlare di voi, sì, di voi stessi.» Ci punta l'indice contro e già ci sentiamo colpevoli.

Dovremo andare a fondo del problema. Parlare soprattutto con sincerità, per usare l'infame parola, come lei la definisce: la frase è accompagnata da una risata stridula, di quelle che lei ama per alleggerire, crede, la tensione. Come viviamo l'handicap, come l'handicap ci ha cambiato, chi siamo noi ora. Le esperienze verranno confrontate, entreranno in un dossier del Centro, forse confluiranno in un libro.

«Siete contenti?» chiede.

C'è un silenzio cupo che finalmente ci accomuna. Ciascuno fissa un punto davanti a sé evitando gli occhi di lei, che ci scruta curiosa. Regrediamo a scuola, nessuno che guardasse l'insegnante, prima che scegliesse chi interrogare.

«Non dovete parlare di quanto accade al Centro, che è l'isola felice. Dovete parlare di quanto accade fuori.»

«Basta parlare di isola felice!» esclama rauco un uomo corpulento, il collo gonfio di un batrace, gli occhi dilatati sopra le guance paonazze. «Cominciamo a non usare più questa espressione!»

«Non le piace, signor Colnaghi?» gli chiede calma la dottoressa. Si è rialzata completamente, il busto proteso con dignità sotto la tuta. «Che cosa c'è che non va?»

«Le due parole, isola felice» risponde lui. «Che cosa c'entrano con noi?»

«Mi sembra che abbia ragione» sono io che sto parlando, perché lo faccio? Non lo so, so che devo continuare, mentre il signor Colnaghi si volta verso di me con riconoscenza congestionata. «Non è una formula adatta.»

Lei mi guarda con una ironia complice:

«Anche lei ci si mette, professor Frigerio?»

Aggiunge:

«Per carità, possiamo rinunciarci. E lei, che cosa ne pensa?»

Si è rivolta a una signora in prima fila, minuscola, rannicchiata diagonalmente sulla sedia. Tiene le mani incrociate sopra le ginocchia, in un rattrappimento progressivo. L'ho già incontrata altre volte, è una di quelle persone timide che amerebbero, se interrogate in pubblico, rimpicciolire fino a sparire.

Sognano di dire cose memorabili e temono di dire cose ridicole. Risponde con voce fioca:

«Secondo me va bene.»

La dottoressa si alza con un guizzo dal tappeto. Sappiamo che è orgogliosa di questa sua agilità, in una esistenza dedicata appassionatamente a chi ne è privo. È una civetteria che concede alla nostra complicità. Donna di valore, finiamo per ammettere, riluttanti.

Ride con allegria, come sa fare nei momenti migliori. L'isola felice non piace al signor Colnaghi e al professor Frigerio. E agli altri?

Gli altri esitano, oscillano sulle sedie, divisi fra adulazione e verità, fra tradizione e secessione.

«Ho capito, neanche a voi piace. E allora aboliamola. Da oggi niente isola felice. Ma del Centro almeno siete contenti?»

Sì! Del Centro sì! È un coro liberatorio, dietro cui si acquattano sincerità e menzogna, convinzione e perplessità, come a scuola. Stessa unanimità divisa.

«Non potremmo desiderare cure migliori» riprende il signor Colnaghi, fiero quanto timoroso dell'inatteso trionfo, asciugandosi la fronte con il fazzoletto. «Ma l'isola felice era un po' euforica!»

«Sì, signor Colnaghi, siamo d'accordo» commenta lei paziente, abbassando la testa.

Lui vuole aggiungere qualcosa, come accade spesso a chi ha concluso:

«Noi la viviamo in un altro modo.»

«Già» annuisce lei.

Rialza la testa:

«Appunto. Come la vivete l'esperienza del Centro?»

Ha ripreso le fila del discorso. Già, come la viviamo l'esperienza del Centro?

Stiamo ritornando seri, compunti, gravi, quasi costernati. La vacanza sull'isola felice è finita.

Favori

La persona che ci nega un favore la sera ce l'avrebbe magari concesso la mattina, se l'umore fosse stato diverso. Nessuno ha mai potuto, né potrà mai, verificarlo. Ma sono quelle certezze ipotetiche cui dobbiamo le gioie per la nostra tempestività o le angosce per la sua mancanza.

Per questo non posso sbagliare con mio suocero. Qual è il momento migliore per ottenere un favore?

«Che tipo di favore?» mi chiede Franca.

«Editoriale.»

«Mai» dice.

«Bene» rispondo, rinfrancato dal viatico coniugale.

«Per chi sarebbe?»

«Per lo zoppo.»

Mi accorgo, con qualche disagio, di avere brutalmente ritorto contro di lui la minorazione di cui soffre. Di solito questo non accade a chi è coinvolto, direttamente o indirettamente, dall'handicap. Se qualcuno usa come epiteto spregiativo "spastico" o "mongoloide", si può essere certi che nessuno della sua famiglia lo è. Le disgrazie, fra i tanti effetti, ne hanno alcuni linguistici immediati, ci rendono sensibili al lessico interessato dal problema. Si potrebbe aggiungere, con una illazione, che uno scrittore è chi è perennemente sensibile alle disgrazie del lessico, anche se non ne viene coinvolto. E che non aspetta di esserlo per riflettere sulle differenze dei significati. Questo contribuisce a spiegare come l'area lessicale dell'handicap sia ormai in preda alla nevrosi. Molti si chiedono perché cieco sia diventato non vedente e sordo non udente. Forse una spiegazione plausibile è che cieco definisce irreparabilmente una persona, mentre non vedente circoscrive l'assenza di una funzione.

Una controprova potrebbe essere fornita dal direttore zoppo. La definizione più circospetta, quella ricorrente nell'ambito dell'handicap, sarebbe stata che aveva problemi di deambulazione. Ha problemi di linguaggio, dice la madre di un balbuziente. Una seconda definizione, che indossa signorilmente il tight della cultura, sarebbe stata claudicante. Ma il direttore claudicante tradisce irrimediabilmente una intonazione ironica.

Il direttore zoppo è duro, aspro, asciutto, ostile. Ed evoca non solo una autorità indebolita da un difetto fisico, ma un diavolo che guarda dal romanzo di Lesage i tetti scoperchiati di Madrid: l'immagine che di lui volevo appunto suggerire. Dove si confermano almeno due cose: che la minorazione è sempre una carta ingiuriosa da giocare al momento opportuno; e che tra quanti sono colpiti dall'handicap la solidarietà non è sempre la dote più ricorrente.

Forse il momento migliore è al rientro dalla gita in automobile con Paolo. Prima di uscire è inquieto, spia la strada come se si accingesse a una sortita contro l'assedio dei nemici. Lega Paolo al sedile tirando le cinghie, in modo che sembri addirittura impettito e la testa non gli ciondoli. Non si è ancora rassegnato alle sue anomalie e il viso gli si illumina se qualcuno non si accorge subito dei "problemi", segno per lui rassicurante della normalizzazione futura. «Non sarà mai normale» gli ho detto una volta. Ero esasperato. Possiamo sopportare i nostri errori, ma non se li vediamo replicati negli altri. «Questo lo dici tu!» mi aveva risposto. Aveva aggiunto «La natura fa miracoli!».

Per parte sua non aveva mai collaborato alla ginnastica di Paolo. Franca coinvolgeva quasi tutte le persone di passaggio (studenti, insegnanti, parenti, amici, vicini di casa) per ruotare la testa del bambino e muovergli alternativamente le gambe e le braccia, sdraiato bocconi sul tavolo. Ma con suo padre non osava. O meglio si era limitata a chiederglielo una volta sola, ricordando un proverbio siciliano che mi aveva citato: quando un amico non sente a una prima voce, vuol dire che una seconda non gli piace.

Forse doveva apparirgli innaturale che un bambino condividesse con le persone più anziane tante irregolarità di equilibrio e di movimento. Doveva sembrargli un sovvertimento della fisiologia, anche se gli avevo spiegato che la fisiologia prevede il sovvertimento. Altrimenti Paolo non avrebbe messo in funzione, come prevedevano i neurologi, circuiti alternativi.

«Perché Paolo è sopravvissuto?» gli chiedevo.

«Perché è forte!» rispondeva, con un sussulto umiliato di orgoglio.

«No, perché è debole» gli dicevo, «e trova la sua forza nella flessibilità.»

«Basta con i tuoi discorsi!» reagiva. «Non ti seguo!»

Paolo gli offriva una occasione estrema per ricredersi, ma era l'ultima cosa che voleva fare. Dominato da una idea gerarchica della natura e della società, doveva fronteggiare la condizione del nipote, che poneva problemi insolubili al suo senso della vita. Il diverso ci fa sentire diversi – contrariamente a quanto si pensa – ed è questo che non siamo disposti a perdonare. Mio suocero è morto convinto che suo nipote fosse diverso solo in apparenza. Era la sua speranza più tenace e la paura di essere smentito lo rendeva fanatico. Ha scritto Jung che il fanatismo è un dubbio ipercompensato, ma il suo dubbio non riusciva mai a compensarlo.

Da ragazzo, mi aveva raccontato, aspettava nei cinema che qualche omosessuale si tradisse, per tendergli con i compagni un agguato al buio e dargli una breve lezione. Mi aveva colpito anche quella parola, *lezione*, che aveva insegnato molte cose all'ag-

gredito, ma le aveva nascoste a chi la impartiva. E
continuava a nascondergliele dopo cinquant'anni.

Lo aspetto al rientro dal giro in automobile con
Paolo.

La macchina verde avanza nel cortile con i fari accesi. È il tardo pomeriggio, ma lui accende i fari in
coincidenza con i lampioni del Comune. È uno dei
tanti riti che celebra con osservanza maniacale, mo-
strandosene addirittura fiero, come fosse un merito.
Un altro titolo di merito era la sua frequenza indefet-
tibile a un club di cui era socio. «Non ho mai fatto
una assenza» mi aveva detto una volta con orgoglio.
«Mai!» Ricordava l'impavidità di un ammiraglio
che si fosse inabissato con la sua nave, dopo avere
messo in salvo tutti i passeggeri e gli uomini dell'e-
quipaggio: solo che lui poteva raccontarlo.

Apre con agilità la portiera, girando intorno al
cofano per passare a quella di Paolo. Io nel frattempo ho tolto il go-kart dall'autorimessa e lo guido fino all'automobile. Lui libera Paolo dalle cinghie e,
con un volteggio elastico, lo cala sul piccolo sedile.
So che queste operazioni, compiute con scansione
precisa, lo riempiono di una gioia silenziosa, quella dell'artigiano di fronte al lavoro ben fatto.

«Volevo chiederti un piccolo favore» esordisco,
mentre Paolo si allontana a zigzag al centro del
cortile.

«Dimmi, caro» mi risponde.

«So che va contro il tuo carattere e il tuo codice
morale.»

«Vieni al sodo» mi dice.

«Il direttore della scuola che frequenterà Paolo è un disabile.»

«Anche lui!» allarga le braccia.

«Sì, e vorrebbe pubblicare un libro di poesie da un editore della tua scuderia.»

È sensibile a questa parola sbagliata, che lo mette però di buon umore, alludendo a un potere che lui non ha.

«E io che cosa c'entro?» mi domanda.

So che vuole sentirsi dire con chiarezza il favore che gli si chiede. È un vezzo che ho sempre associato agli uomini di una certa età, finché ho capito che gli uomini di una certa età non hanno torto, perché hanno fatto negli anni una certa esperienza. E si sono stancati di fare favori che gli altri fingono di fare a loro.

«Vorrebbe che tu lo raccomandassi all'editore più importante. Dice che tu puoi tutto.»

«Non è vero, ma questo posso ottenerlo» mi risponde. «Gli ho fatto anch'io un favore piuttosto speciale. Fammi avere il testo.»

Ammicca con aria furba, senza aggiungere altro. Sono sbalordito.

Aggiungo, ormai preparato all'inaudito:

«Immagino che vorrai leggerlo, prima di consegnarlo.»

«Ma figurati! Fammelo avere subito e in settimana gliene parlo. A te è piaciuto?»

«Sì» sono colto di sorpresa. «Non è male.»

«Ah, non è male» commenta lui sorridendo. «Speravo qualcosa di più.»

«Guarda che non è male è molto!»

«E molto che cosa sarà?» ribatte lui. «Fammelo avere e non aggiungere altro!»

Mi indica l'automobile:

«Ti dispiace portarla fuori intanto che vado a salutare Paolo?»

«Certo» rispondo, aprendo la portiera e salendo in macchina.

Ho una sensazione di facilità, di leggerezza, di semplicità. Guardo in alto e scorgo, nel rettangolo aereo tra le case, le prime stelle.

Faccio una retromarcia veloce e vedo mio suocero rimpicciolire in fondo al cortile. Chissà perché l'ho sempre immaginato con le ghette. Non le ha mai portate.

La signorina Bauer

Si chiama Elisa Bauer. È di Bolzano. Ha trentadue anni. Non ha mai avuto un disabile in classe ed è visibilmente agitata, quando la incontriamo per la prima volta. Ha preferito venirci a trovare lei, abitiamo a trecento metri dalla scuola.

I capelli biondi raccolti sulla nuca, si muove con una agilità elastica ed elegante, tanto attraente quanto chiusa in se stessa. Qualcosa di più prossimo alla ginnastica che alla sensualità. È bella e ha una concentrazione assorta, una freddezza scostante, tipica delle donne che paventano l'emotività.

Tiene gli occhi abbassati, mentre le parliamo, a turno, del bambino. Siamo ormai esperti nel descriverlo in modi accattivanti. Sorridiamo con disinvolta scioltezza. Strategia sbagliata. Lei si sta convincendo, temo, che il bambino sia un mostro. Ci ha chiesto di che cosa soffre e la definizione, tetraparesi spastica distonica, deve averla atterrita.

Chiudo un attimo gli occhi, mentre Franca le chiarisce alcune deficienze di Paolo. Commettiamo sempre l'errore di attenuarle. Perfino con i medici, anzi soprattutto con loro. Cerchiamo che non si stanchi prima della visita, gli raccomandiamo quello che ci manca, la calma. Ci angosciamo ogni volta che sbaglia e lui sbaglia più del solito, quasi per dare una giustificazione oggettiva al nostro panico. Temo che siamo noi una coppia di mostri, assillati dalla paura, concordi solo nella speranza assurda di superarla. Dovremmo semmai presentarlo nelle condizioni peggiori, per eludere una diagnosi accomodante e ottenerne una più attendibile.

I medici, quando si accorgono dei nostri raggiri, reagiscono con malcelata insofferenza. Quante fatiche inutili per influenzarli, mostrando che il bambino è più normale di quanto credono. Mai la verità è stata per noi così sfuggente e angosciosa.

La resistenza muta della signorina Bauer mi sta soffocando. Allora dico, senza guardare Franca alla mia destra, ma immaginando la sua reazione:

«Il suo sarà un compito durissimo. Ne sappiamo qualcosa. Dovrà impegnarsi a fondo. E magari si pentirà di averlo voluto in classe.»

Non è vero, non lo penso, ma lei alza finalmente gli occhi, mi dedica uno sguardo pacificato.

«Adesso non esagerare!» interviene Franca al mio fianco. Io le stringo il braccio fino a farle male, ci fissiamo un attimo con furore reciproco, mentre la signorina Bauer, che non si è accorta di nulla e ha riabbassato gli occhi, dice:

«Mi sembra un discorso costruttivo. Era questo che volevo sentirle dire.»

Franca si tocca il braccio. So che cosa mi aspetta dopo. Anche lei lo sa. Lo sappiamo tutti e due (forse è questo il matrimonio). La signorina Bauer aggiunge:

«Io preferisco essere preparata al peggio, non al meglio!»

«Ha ragione!» esclamo, come se lo scoprissi in quel momento.

La signorina Bauer alza gli occhi luminosi, velati di commozione:

«Sono fatta così. Nel lavoro mi è sempre stato di aiuto. Non crede che sia un bene?»

«Ma certo!» le concedo con quell'entusiasmo di cui siamo prodighi quando non ci costa nulla. È ciò che differenzia, nello studio di un artista, i visitatori dagli acquirenti.

Sta perdendo, a mano a mano che parla, il suo fascino. È ragionevole, concentrata, volonterosa. Sono sollevato per Paolo, un po' sconcertato per lei. È come se, in una partita a scacchi, un avversario in vantaggio offrisse inaspettatamente la resa. Mi chiedo se lei sarebbe delusa di questo paragone. Più probabile che lo sarebbe di me.

«Guardi le fotografie di Paolo» dice Franca.

Si alza dal divano e va in corridoio, dove stacca dalla parete una raccolta sottovetro delle fotografie più riuscite. È incorreggibile, eppure ottiene i suoi scopi, anche se con mezzi diversi da quelli che userei io. Ho notato comunque che la legittimità della meta, con le sue difficoltà, rende eticamente cinici.

La signorina Bauer mi sta guardando, con un

sorriso di intesa, quasi contasse sul mio aiuto per non cedere alla simpatia. Franca le sta parlando di Paolo, lo presenta come un carattere comunicativo e sereno. E alla fine anche la signorina Bauer ride alla battuta di Paolo, che al citofono, alla domanda: «Sei tu?» rispondeva: «No!».

«Sfrutta i mezzi linguistici che ha» commento. «Come gli artisti poveri.»

Lei apprezza l'accenno linguistico con un ammiccamento professionale. Franca si vede momentaneamente esclusa, ma si riprende:

«Lui è attento solo al linguaggio, non gli badi troppo» interviene con allegria. «Ci sono tante cose che non passano per il linguaggio!»

La signorina Bauer sorride. Anch'io sorrido. Ci vorranno almeno vent'anni prima di capire che Franca ha ragione.

La conversazione si è interrotta. Franca è andata nella stanza di Paolo, per controllare se è in ordine prima di mostrarla.

La signorina Bauer beve l'aranciata nel suo bicchiere giallo. Tutto l'appartamento è colorato. La dottoressa ci ha consigliato colori forti per la stanza di Paolo, ma Franca a poco a poco li ha estesi agli altri locali. Divani, poltrone, sedie, armadi, cavalli di legno, palloni enormi, cubi, birilli formano lo sfondo infantile di un cartone animato. Anche in altre famiglie con problemi simili al nostro (nessun caso è uguale, dentro e fuori la norma) ho ritrovato quest'aria festosa e irreale, questo spazio concesso alla infanzia con una liberalità che l'infanzia non conosce, abituata com'è a strapparne piccoli lembi alla serietà degli adulti. È un viaggio di ritorno malinconico: l'ordine riappare nel disordine artificiale, la felicità del gioco si dissolve nella consapevolezza della sua funzione.

«Vuole venire a vedere la stanza di Paolo?» chiede Franca affacciandosi alla porta.

La signorina Bauer posa il bicchiere sul cristallo.

«Come è brava sua moglie!» mi dice, alzandosi con un sorriso.

«Sì» annuisco.

Aggiungo:

«Non doveva accadere proprio a lei.»

«Perché a lei in particolare?» mi domanda. «Non dovrebbe accadere mai.»

«È stata ferita nella parte dove è più debole.»

«O più forte» commenta.

Le sento parlare nella stanza. Peccato, proprio oggi che Paolo non c'è, lei ha telefonato inaspettata e lui era già uscito in automobile con mio suocero. Lo tiene accanto a sé, legato con le cinghie sul sedile, come un bambolotto attonito. Ma forse è meglio così, la signorina Bauer persegue una programmazione cauta delle difficoltà. È convinta che solo distribuendole nel tempo riuscirà a superarle.

Sono sempre più rassicurato che sia l'insegnante giusta: riluttante agli entusiasmi, che deve avere scontato sulla propria pelle; ma aliena dallo scoraggiamento, avversario non meno temibile.

Una volta non avrei mai usato un aggettivo come "giusta", così sedativo nell'appagare le aspirazioni comuni alla perfezione. Ora adotto invece il linguaggio protettivo dei più, come accade in ospedale, dove l'acquiescenza al gergo dei medici favorisce l'adesione all'anonimato dei malati e rinsalda la dipendenza da una autorità che ci assiste. Anche l'handicap è definito da un lessico che placa l'ansia immediata, quella di sapere di che cosa si tratta. La tappa successiva sarà di scoprire che non lo definisce, ma intanto un passo si è compiuto.

Si sta facendo buio, vedo dai vetri della sala la distesa dei tetti, i grattacieli, le strade che si illuminano. Lo stesso paesaggio che in altri momenti mi inquieta, ora mi dà un senso di intimità. Un altro ostacolo è stato superato, la signorina Bauer esce dalla stanza di Paolo, ha un viso leggermente eccitato, le guance rosate dalla conversazione.

«Devo scappare» dice.

Sono forse troppo attento, come dice Franca, alle parole, ma scappare è un verbo che in questo momento mi dispiace, anche se forse ha ragione, scappare da una stanza di giocattoli mancati, di disperazione positiva, di speranza angosciata.

«Le sono così grato che sia venuta a trovarci.»

«Era mio dovere» mi dice diventando seria.

È preoccupata che lo si scambi per un favore. Penso a quanti fanno passare i doveri per favori, la scuola vera è fatta di eccezioni, rare come i professori che si rimpiangono.

«La accompagno» le dico.

Scendiamo nell'ascensore illuminato, lei si ritrae in un angolo.

«È molto che insegna in questa scuola?» le chiedo.

«Sei anni.»

«E si trova bene?»

«Sì, a parte il direttore, all'inizio.»

Si ferma, ha già detto troppo.

«Cioè?»

«Era un po' insistente.»

Non aggiunge altro.

«E prima dove insegnava?»

«A Bolzano, tre anni.»

«Come mai ha lasciato Bolzano?»

Esita:

«Per una persona. Un errore di valutazione.»

Annuisco come se sapessi chi è.

«Una persona sbagliata» aggiunge lei.

Forse anch'io sono una persona sbagliata, chissà per quanti. Non facciamo che trovare sbagliati gli altri, pensando di sottrarci a questa sorte comune. Ma con i parenti più stretti è meglio non approfondire, si hanno sempre cattive sorprese.

«Ora ne è uscita?» le chiedo.

«Sì, da poco» mi risponde.

Non ne è ancora uscita.

«È stata una cosa importante?»

Importante è un aggettivo che piace, perché lascia intendere che la cosa sia importante per sé, mentre lo è solo per noi.

«Sì» risponde rapida. «Mi ha salvato la scuola.»

Ecco per quali vie passa la salvezza, penso. Anche per Paolo sarà alla fine importante la disavventura che lei ha vissuto.

«Sapesse che delusione» aggiunge.

«Lo credo» rispondo.

Vaghe immagini di storie attualissime cento anni fa, oggi anche.

La signorina Bauer si passa una mano fra i capelli come se volesse allontanare un pensiero. Poi mi chiede:

«Lei aiuta sua moglie?»

«Così» rispondo, abbassando la testa.

«Che cosa vuol dire così?»

Siamo arrivati a pianterreno. Le apro la porta della cabina, lei esce nell'atrio semibuio. Aggiungo:

«Certe volte sono assente.»

«Fisicamente, intende?»

«Fisicamente e idealmente.»

Si volta:

«E lo dice senza rimorsi?»

«No, lo dico con rimorsi.»

«E perché non fa di più?»

Scendiamo i tre gradini dell'ingresso.

«Immagino perché sono egoista» le rispondo, aprendole la porta a vetri. Ma mi accorgo che è una risposta troppo facile. Ammettere i propri errori è anche il primo alibi per ripeterli.

La signorina Bauer infatti non si lascia distrarre:

«C'è almeno qualche altra ragione?»

Ho la percezione precisa che mi stia processando. Chi gliene dà il diritto? Io, probabilmente. Non c'è come sentirsi in colpa per farsela attribuire.

«È anche un problema di amministrazione delle

forze» le rispondo. «Io, ad esempio, sarei un pessimo insegnante per Paolo.»

«Veramente?» chiede lei incredula.

La signorina Bauer è sempre più incalzante. Si sta vendicando contro di me di torti che ha subito.

«Sì, ne ho fatto la prova. Divento aggressivo, ansioso, impaziente.»

«E sforzarsi di cambiare?»

«Non si può. O meglio si può, ma lo si fa pagare anche all'altro. Il risultato è negativo per tutti e due.»

Stiamo camminando sul marciapiede, nella sera tiepida.

«Lei dove va, signorina Bauer?»

«Alla stazione della metropolitana.»

Dopo qualche passo si gira:

«E in quali altri campi distribuisce le sue forze?»

Sorrido:

«Guardi che io non ho usato questa espressione.»

È curioso che al tramonto, in corso Buenos Aires, su un marciapiede gremito di passanti, io mi debba difendere dalla maestra di mio figlio.

«E che cosa voleva dire?» mi chiede lei, senza lasciare la presa.

«Che faccio solo una parte di quello che potrei. Ma so che l'alternativa sarebbe un fallimento.»

«E sua moglie?»

«No, lei fa quasi tutto.»

Evito di guardarla per non vedere il suo sorriso di trionfo. Conosco questa solidarietà femminile che ha dalla propria un vantaggio non trascurabile, cioè una buona parte di ragione. Per questo di solito mi aggrappo alla rimanente.

«E non le chiede di fare di più?»

«No, sarebbe peggio.»

La signorina Bauer, sul marciapiede affollato, provoca sguardi indiscreti, visi che si voltano. Se ne difende con una indifferenza ostentata, tipica di chi li sopravvaluta.

«Sua moglie è contenta.»

Non si capisce se è una domanda o una affermazione riluttante.

«No. Ma, vede, non è questo il punto.» Parlo con una certa fatica, sto scoprendo quello che penso. «Il punto è che siamo al limite della resistenza. Se io mi conservo spazi di libertà, diciamo pure di privilegio, reggo.»

«Altrimenti fuggirebbe» interviene lei. «È questo che vuole dire?»

Non mi lascia il tempo di rispondere.

Continua:

«Molti uomini lo fanno in situazioni simili.»

«Perché pensa così male di me?» le chiedo.

«Ma io non penso così male di lei.»

«E non dimentichi poi l'istituzione che raddoppia le nevrosi.»

«E quale sarebbe?»

«Il matrimonio, signorina Bauer, non sorrida.»

Sono riuscito a ottenerlo. Mi sento meglio.

Mi dice:

«Non credevo avesse questa idea del matrimonio.»

«Sì, che lo credeva!» esclamo. «Altrimenti non mi avrebbe riservato tante accuse.»

«Non sono accuse» reagisce, come sa che deve

reagire, la signorina Bauer. «Sono domande per capire come il lavoro sul bambino viene distribuito.»

«In modo squilibrato» rispondo. «Questa è la verità. Non sono contento di dirlo, ma è così.»

Ho riacquistato una rassegnata fierezza del mio torto. E il suo tono è diventato più calmo. Finché giudicava si sentiva invulnerabile. Ma essere giudicata una accusatrice l'ha resa più cauta.

«È una situazione molto complicata» proseguo. «Molto dura. Non mi sembra per fortuna che il bambino ne abbia molto risentito. Lei comunque in qualsiasi momento può parlarmi.»

«D'accordo» mi dice, fermandosi davanti alle scale della metropolitana. Ha le guance accese e una espressione più dolce negli occhi.

Le prendo la mano tra le mie, gliela stringo un attimo.

«Possiamo darci del tu» le dico. E, con una percezione vertiginosa, ma tardiva, del comico, aggiungo: «Tra insegnanti».

«Più avanti» risponde lei.

È tornata la signorina Bauer.

Mentre scende le scale si ferma su un gradino e si volta per farmi un cenno con la mano. Io resto sul marciapiede a guardarla, finché sparisce nel buio del sotterraneo.

Una luce rosata si irradia sopra il corso Buenos Aires e rischiara i visi dei passanti quando emergono dall'ombra.

Ritorno verso casa con la mente confusa. Sono

stanco e stordito come se avessi lottato: prima per difendere la causa di Paolo, poi la mia.

La causa di Paolo è vinta, almeno questa volta. E la mia? Ho cercato di persuadere la signorina Bauer, ma chi volevo persuadere? In questa sera lucente tra le lacrime ho la certezza che non ci riuscirò mai.

Il go-kart

Va a scuola in go-kart. Il go-kart è stata una idea di Franca.

Quando lo portava ai Giardini, nella sua carrozzina blu, e si sedeva sulla panchina di fronte alla fontana – tra venditori di gelati e di palloncini colorati, bambini che si rotolavano sull'erba, madri che li richiamavano e podisti che correvano sullo scricchiolio della ghiaia – vedeva sempre lo stesso quadro, con uno strazio che immagino solo ora. Allora non ci pensavo, preoccupato della sopravvivenza personale, ma anche – non cediamo al compiacimento moralistico di annientarci – di quella familiare, che imponeva una selezione crudele delle energie (era questo almeno il mio alibi per quel periodo). Ma, in quella cornice festosa e rutilante, c'era qualcosa che aveva fermato la sua attenzione: i go-kart a pedale, che sgusciavano tra le gambe delle persone e attraversavano i viali con diversioni guizzanti, guidati da bambini esaltati da queste miniature dei go-kart a motore. Li offriva in affitto un posteggiatore sotto i platani, davanti alla cupola grigia dell'Osservatorio Astronomico. Taciturno e scostante, non aveva voluto rivelare dove li acquistava, temendo non si sa quale concorrenza. I paurosi vedono pericoli dappertutto e addirittura li inventano per moltiplicare il piacere di evitarli: fatica vana, perché la paura nasce dall'interno, come la sete inestinguibile degli idropici.

Quell'uomo rozzo e odioso, interrogato da mio suocero, aveva però rivelato (a un uomo, non a una donna!) l'autorimessa che aggiustava i go-kart. E da quella era stato facile risalire alla fabbrica che li produceva.

Quando Alfredo aveva visto il go-kart in cortile, luccicante, rosso, le piccole gomme scolpite come nelle automobili da corsa, non aveva nascosto una smorfia di insofferenza. L'aveva chiesto in regalo due Natali consecutivi, quando aveva sei e sette anni, ma non l'avevamo ascoltato. Ora non riusciva a entrarci e sua madre lo rimproverava dal balcone, rinfacciandogli l'età. Lui probabilmente ne soffriva, come se gli sottraessimo una infanzia che non era riuscito a godere. Una volta aveva allungato un calcio a una gomma e io gli avevo subito dato uno schiaffo sul collo, nello stesso punto, me ne ero accorto, dove me l'aveva dato mio padre quando avevo rovesciato la vaschetta dei pesci. Constatavo, mentre lui piangeva disperatamente, che noi, sempre senza volerlo (come ci soccorre l'inconscio!), replichiamo sui figli le violenze che abbiamo subito dai padri. Ne parlano i trattati di criminologia, ma ne tacciono i trattati rinascimentali sulla famiglia.

Paolo invece veniva calato con facilità dall'alto, ma in principio non riusciva quasi a muoversi. Spingere alternativamente i due piedi per lui non era un istinto, ma una conquista. Lo vedevo, dalla finestra sul cortile, procedere a balzi improvvisi, cui seguivano soste scoraggiate. In certi momenti imprecavo contro la vita a bassa voce, per non farmi sentire. Ma da chi?

Paolo appoggiava la testa sul volante, non capivo se vinto da un senso di impotenza o spossato da una fatica troppo grande. Ricordo una giovane fisioterapista, che aveva paragonato lo sforzo dei bambini disabili, nell'affrontare una scala, a quello dei vecchi. «Capite adesso?» ci diceva. Noi facevamo cenno di sì, ma in realtà i vecchi sulle scale ci erano altrettanto estranei quanto i bambini disabili. È solo verificando nel nostro corpo il lavoro del tempo che la pena ci diventa comprensibile e l'estraneità familiare. Tutti sappiamo che invecchiamo, ma la vecchiaia, ha detto una volta Trockij, è stata l'evento più imprevedibile che mi sia occorso dopo i quarantacinque anni. Che per un teorico della rivoluzione permanente non è una confessione da sottovalutare.

Altri esempi ci faceva la fisioterapista, a proposito dei muscoli e della fatica. Aveva una facoltà associativa molto mobile, a volte sconcertante, che ci lasciava interdetti. Pensavamo al paragone sbagliato e capivamo ancora meno quello che ci suggeriva, distratti da immagini che non si accordavano tra di loro. Ma in altri casi – gesticolando con una mimica efficace e parlando con un inatteso entusiasmo – ci aiutava ad avvicinare non solo i problemi dell'handicap, ma quelli di altre situazioni, che con l'handicap avevano un rapporto indiretto. Finché abbiamo intuito che tutto ha un rapporto indiretto con l'handicap. E, quando diciamo che l'esperienza ci aiuta a capire l'handicap, omettiamo la parte più importante, e cioè che l'handicap ci aiuta a capire noi stessi.

Ci diceva ad esempio che gli esercizi muscolari assomigliano alle tappe del Tour de France. I corridori corrono giorno dopo giorno e non "vedono" le montagne che li aspettano. Se "vedessero" che, sommandosi, superano la cima dell'Everest, rinuncerebbero a conquistare il tetto del mondo, guardandosi continuamente alle spalle. L'attenzione alla meta parziale induce a non fissare quella finale e così, almeno in molti casi, a raggiungerla.

Paolo aveva trasformato il go-kart in una automobile anomala, in una proiezione meccanica di se stesso. Franca constatava che progrediva ogni volta, io che progrediva troppo poco. Ma la mia più che constatazione era paura (quante volte scambiamo la paura per una constatazione!). Dopo tre mesi

Paolo schivava in cortile, con sterzate spavalde, i pilastri che sorreggevano il piccolo portico. La manovra doveva piacergli perché la ripeteva, con scarti sempre più vicini all'ostacolo. Poi aveva imparato la retromarcia e sperimentato urti che quasi lo sbalzavano dal sedile. Dopo quattro mesi era pronto a uscire dal portone di casa.

Procedeva a zigzag sul marciapiede, tra passanti che si scostavano sorridendo solidali e altri che si voltavano con accigliata diffidenza, per vedere se era fondata l'impressione che ne avevano avuto.

All'asilo entrava da un cancello laterale. Doveva salire su un pendio e ci riusciva premendo con più energia sui pedali. Poi affrontava trionfale la discesa lasciandoli vorticare, finché non vi infilava di nuovo i piedi e l'automobile sbandava o si bloccava di colpo. Franca, che lo inseguiva, lo sgridava ogni volta con una violenza complice e ripetitiva. C'è qualcosa di rituale e di ipnotico nei rimproveri familiari, compresi quelli coniugali, la certezza, attraverso l'insofferenza, della continuità.

Il go-kart è stato una luce nell'infanzia di Paolo. La bidella lo custodiva in un sottoscala con un lucchetto. Guardato con occhi golosi dai bambini dell'asilo, tramutava una inferiorità in superiorità. Era una sensazione temporanea, ma non più illusoria, a ripensarci, di altre che crediamo durevoli.

Oggi invece, che l'ho rivisto in cantina, mi ha fatto un effetto diverso. Avanzavo a tentoni sul pavimento sconnesso, nella oscurità polverosa tagliata da una diagonale di luce che scendeva da una feritoia: e l'ho scoperto in un angolo, coperto da un velario di ragnatele, arrugginito, sporco, inutile. Mi sembrava uno scheletro fossile e ho avuto paura a toccarlo, come fosse la rovina di un sogno.

Un bambino è più importante di un jet?

«Lei non sbaglia mai quando scrive?» mi chiede il medico, tra complice e beffardo.

«Sì» rispondo. «Ma non è la stessa cosa.»

«Già» guarda sarcastico i presenti, che lo assediano al centro della piccola assemblea. «Non è mai la stessa cosa. Gli errori sono sempre quelli degli altri.»

È in una situazione sgradevole e compie sforzi diligenti per deteriorarla. Uomini così non mi dispiacciono. L'ostilità che suscitano, la loro antipatia naturale li eccitano e li aizzano. Tendono a offrire di sé l'immagine più scostante e sfortunatamente ci riescono. Ma non sono tra i peggiori.

Questo pediatra ha accettato di ascoltare i genitori del Centro, che denunciano le deficienze dell'assistenza medica prima, durante e dopo il parto. Ci vuole coraggio.

Sono racconti duri, esacerbati, recriminazioni

macerate nei tempi lunghi che l'angoscia riserva alla riflessione. La gioia è volatile e ha una sola preoccupazione, di non dissolversi. Ma il dolore che non può attribuire la causa alla fatalità e deve incolpare l'incuria e il cinismo degli uomini non si rassegna.

«Non ci siamo riuniti stasera per intentare processi» ha premesso la dottoressa. «Solo testimonianze su eventuali responsabilità mediche nell'handicap. Anche se qui c'è un vizio statistico: il pubblico è fatto solo da chi non è stato favorito dalla sorte.»

Ha il suo breve riso, quasi un singulto, che cade nel silenzio generale. È una sua reazione tipica, vuole esprimere solidarietà con i genitori e difesa di una classe medica cui non risparmia sarcasmi.

«Sono pronto al linciaggio» ha chiosato l'ospite, con un sorriso che non è stato condiviso da nessuno.

Affiorano nei racconti diagnosi intempestive e brutali, pronunciate con quella impavidità che vorrebbe trovare un alibi nell'etica e nasce invece dal suo soffocamento («Per suo figlio è meglio che pensi a un Istituto»). Ma non mancano le diagnosi di un ottimismo irresponsabile, che si sottrae al tormento di affrontare il presente («Non si preoccupi, il tempo guarirà tutto»). Pediatri inesperti di neurologia infantile e clinici all'oscuro delle terapie di ricupero.

«Il problema comunque non è solo l'impreparazione dei medici» interviene, con la sua voce sempre rauca, il signor Colnaghi, «ma la loro incompetenza.»

«Che differenza c'è?» chiede con stupore ostentato il pediatra.

«Che se uno conosce i propri limiti ricorre a uno specialista» risponde il signor Colnaghi, cercando con gli occhi il consenso della dottoressa. «Ma se non li conosce fa la diagnosi lui. Capisce le conseguenze?»

La dottoressa incalza:

«Qui arrivano bambini di quattro, cinque anni, alcuni di più. Si è perso tempo prezioso, bastava uno specialista.»

Il medico la ascolta senza rispondere, con una inespressività professionale.

«Lei che cosa ne dice, professor Frigerio?» la dottoressa si volta verso di me. «È un problema di cultura?»

«Credo proprio di sì» rispondo. Mi sento un alunno chiamato a convalidare quello che dice il professore. È un copione che mi imbarazza, soprattutto con l'ospite. Siamo sempre chiamati a recitare una parte che non è la nostra. «Io credo che la cultura sia il presentimento di quello che non si sa.»

Sono diventato, senza volerlo, un piccolo Socrate (ci capita quando parliamo in pubblico). Tento disperatamente una svolta:

«Un medico deve essere prudente perché non può sbagliare. Chieda l'aiuto di altri, faccia la parte dell'ignorante. Non può compromettere una persona per tutta la vita!»

«Ritorniamo al punto di partenza» il medico incrocia le braccia. «Lei non sbaglia mai?»

«Ma il mio mestiere è un altro!» reagisco concitato. «Se sbaglio una virgola se ne accorge uno su dieci. E non succede niente. Ma se si sbaglia con un bambino, diventa un cerebroleso! Io non faccio il medico. E non faccio neanche il pilota di un jet.»

«Che cosa c'entra un jet?» mi chiede caustico.

«Il pilota di un jet non si distrae, almeno quando atterra, altrimenti non sopravvivrebbero né lui né i passeggeri.»

«E lei vuole paragonare un bambino a un jet?»

«No, io paragono i due piloti» rispondo. I battiti del cuore stanno accelerando, le vene pulsano. È evidente che per lui un bambino è meno importante di un jet. «Perché ha scelto di fare il medico? Chi aiuta un bambino a nascere sta guidando un jet.»

Il medico ha abbassato la testa, ha percepito la mia emozione. Capisce che non è il momento di contraddirmi. È così che molti risolvono i problemi.

Cerco di controllarmi:

«Un bambino è più importante di un jet.»

«Sono d'accordo» acconsente lui paziente, guardandomi sinceramente stupefatto.

Lezione di equilibrio

Abbandono improvvisamente la presa, a metà del corridoio, e lui si mantiene in piedi oscillando, le scarpe di gomma sembrano incollarlo al tappeto, finché la mano si appoggia alla parete di destra per evitare la caduta. Cade ugualmente in avanti sulle ginocchia e mi guarda mentre sollevo la testa dall'orologio da polso.

«Dodici secondi!» gli dico. «Coraggio, Paolo, riproviamo.»

Lo aiuto a rialzarsi, lui si rilascia come svuotato di forze, l'impressione è terribile, in realtà lo fa per risparmiarle, questo l'ho capito più tardi. Quante cose capiamo più tardi, mentre il debole le capisce prima, nell'economia lucida e lungimirante delle sue risorse.

È in piedi, provo ad abbandonarlo per un attimo, ma lui cade indietro con gli occhi sbarrati, quasi fosse stordito da un colpo. Riesco ad afferrarlo per un braccio, il peso inerte gli fa compiere una mezza piroetta prima di scaraventarlo contro la parete e farlo scivolare a terra come una marionetta floscia. È lento nell'usare le braccia per attutire la caduta e acquisire con la riflessione quei movimenti che i cosiddetti riflessi compiono senza pensarci. Ha perso il sapere del corpo e deve ricostruirlo con la mente. Un lavoro di milioni di anni in un decennio: simulando la naturalezza, imitando la tempestività, fingendo la immediatezza. La seconda nascita in un mondo per il quale anche noi stiamo diventando disabili.

«Vuoi smettere di fare cadere il bambino?» irrompe Franca in corridoio.

Riunione genitori

Una professoressa di matematica, pacata e pingue, pone alla piccola assemblea un problema professionale, gesticolando con le mani delicate, che muove agilmente nell'aria. Si capisce che ama soprattutto ascoltarsi e per questo premette che vuole ascoltare noi. Funziona sempre.

Io *semplificherò* il suo linguaggio forbito, gremito di affettazioni sintattiche e di incisi signorili, e illuminato da un sostantivo gettato con noncuranza sonora, "idioletto". *Semplificare* (dichiarandolo!) era uno dei privilegi dispotici, quanto confortanti, del narratore onnisciente, tanto vituperato in passato anche da me (in realtà sa pochissimo).

Il problema è questo. Suo figlio tredicenne, caratteriale con disturbi di attenzione (così mi compendia brutalmente, ma efficacemente, in un orecchio, la mia vicina di sedia), non riesce a seguirla quando lei, dandogli lezioni di matematica, diventa impaziente.

«Che cosa fa?» le chiede la dottoressa altrettanto impaziente.

«Gli do uno schiaffo, ma poi rimango male più di lui.»

Rifletto che è tipico degli egocentrici attribuirsi il primato non solo dei meriti, ma delle colpe.

«Non basta!» la rimprovera la dottoressa. «Questo non si fa!»

«Lo so!» annuisce lei, contrita. «Per questo vorrei il vostro parere. Non so perché mi comporto così.»

Ho sempre temuto le professoresse di matematica. Perfino quando erano indulgenti, quando rimandavano a una spiegazione successiva, fatta con calma e con lucidità, quello che mai avrei capito. Anzi proprio allora ero soffocato dal panico, perché la mia colpa aumentava. Il loro sapere era una forma di terrorismo disciplinato e periodico.

«Interrompa la lezione!» le consiglia disinvolta la dottoressa. «Vada a bere qualcosa, si distragga. Non deve comportarsi così con suo figlio!»

«Certo!» risponde lei, simulando un'ansia incontenibile. «Però vorrei sapere» congiunge le mani «qual è la radice delle mie reazioni. Io credo di intuirlo, ma vorrei una conferma.»

In realtà conoscono sempre la risposta. Desiderano solo un pubblico che ascolti.

Continua, quasi supplicando:

«È amore-odio, non vi pare?»

Aggiunge:

«È questo che proviamo per i nostri figli. Vogliamo loro troppo bene!»

Affetta, come molte madri che non lo provano, un senso epico della maternità. Mi viene in mente la frase di un pedagogista americano, che diceva: "Volete fare qualcosa di più per i vostri figli? Fate qualcosa di meno".

L'assemblea ascolta in un silenzio imbarazzato. A volte il ricatto delle parole ci impedisce di manifestare la ripugnanza che suscitano.

La dottoressa mi guarda, in cerca di un aiuto:

«E lei, professor Frigerio, lei che insegna e che avrà dato lezioni a suo figlio, che cosa ci dice?»

«No, io gli ho dato poche lezioni» le rispondo. «E proprio per gli effetti cui ha accennato la signora.»

«Lo schiaffeggiava?» chiede la dottoressa con la sua allegria beffarda.

«No, ma ci sono offese più gravi che uno schiaffo. Basta lo sguardo, basta l'insofferenza.»

La professoressa incalza, lieta di avere trovato chi crede incautamente un alleato:

«E ci capita proprio con i nostri figli, a cui vogliamo più bene! Non con gli altri a cui diamo lezioni private.»

Le dico grave:

«Ecco, lei ha toccato un punto importante del problema.»

«Cioè?»

«Anzitutto la lezione non è normale. Lei non riceve nessun compenso.»

La professoressa mi guarda sbalordita.

«Questa è una prima frustrazione» aggiungo, «che non possiamo ignorare.»

«Ma lei è un cinico!» esclama la professoressa.

«Il problema non sono io» proseguo. «Il problema è la lezione. Una lezione gratuita, mi creda, ha bisogno di altre gratificazioni. Che qui invece sono sostituite da nuove frustrazioni, perché l'allievo non capisce.»

Sono soddisfatto della mia calma.

«A queste frustrazioni» continuo, «si aggiunge una delusione ancora più profonda, perché l'allievo è nostro figlio.»

«L'amore-odio di cui parlavo prima!» incalza la professoressa.

«No» le rispondo a testa bassa. «Io non lo chiamerei così. Io lo chiamerei odio. Lei in quel momento odia suo figlio e basta. È odio purissimo.»

«Ma come?»

Si è voltata verso la dottoressa, che però non si pronuncia.

«Non ha bisogno di darci spiegazioni» le dico. «Lo sta colpendo. Gli vorrà bene dopo. In quel momento lo odia.»

Si volta di nuovo verso la dottoressa:

«Ma lei che cosa dice? È vero che io sento così?»

«Perché chiede sempre la conferma degli altri?» le risponde la dottoressa. «Pensi a quello che sente lei.»

Salvataggio al mare

Racconto alla dottoressa nel suo studio di vetro – ora che le visite sono finite, le luci si sono abbassate nella palestra, le fisioterapiste si rivestono nello spogliatoio e lei fuma una pipa di radica rettangolare come il suo viso scarno – una avventura che mi è capitata a Fano nell'ultima settimana di agosto.

Un mio amico di Ancona viene a trovarmi e andiamo sulla spiaggia con le due famiglie, sembra una scena da libro di letture dell'Ottocento, un vento sferzante spazza la costa e solleva grosse onde contro i moli di sassi che racchiudono minuscole baie. Nessuno fa il bagno, la bandiera rossa sventola su una sabbia deserta. Io, sorretto da una spinta infantile alla sfida e alla bravata, io che mi sento un nuotatore, mentre il mio amico è gracile, io, accompagnato dagli epiteti taglienti e familiari di Franca, mi spingo in poche bracciate fino all'ingresso della insenatura, dove le onde si rovesciano con un fragore assordante. Sono di colpo risucchiato al largo, vedo le alture ondulate della costa emergere sopra i marosi e poi sparire sotto valanghe d'acqua che mi inghiottono in un ribollimento violento. Mi tengo a galla facendo leva sulle braccia e muovendo vorticosamente le gambe. Lasciarsi trasportare al largo dalla corrente, ecco che cosa riesco a pensare, assurdo contrastarla, ricordi di lotte sfibranti e inutili, mi entra un fiotto nella gola, dovrei ritentare da un'altra parte della costa. Balena in fuga la riva in una luce biancastra e temporalesca, le scogliere si allontanano. Sento improvvisamente un grido fioco, vedo Carlo in un avvallamento schiumoso, è attanagliato dal panico, stralunato, mi chiama con una voce irriconoscibile, nuoto verso di lui, un'onda mi rovescia, riemergo, lo afferro per un braccio. Ha un viso verde, la bocca digrignata in un sorriso insensato. Lo stringo per le ascelle, gli dico: «Sta' calmo, Carlo, sta' calmo». Non oppone resistenza, non mi si avvinghia, provo gratitudine, bevo salato, l'acqua si spalanca in voragini, ci sovrasta, bevo un'altra volta mentre risalgo verso la luce tra la spuma, lui come paralizzato, ma vicino. Di nuovo sotto, lo sollevo per i fianchi. Riaffiorando rivedo fulminea la costa ancora più lontana, tra gli spruzzi, è finita, è una cosa idiota, è finita, non possiamo salvarci in due e io non posso lasciarlo, moriamo in due, fino a cinque minuti fa ero sulla spiaggia. L'onda ci solleva, cerco di trattenerlo per un braccio, scivola in basso e sparisce di colpo, sento il suo corpo tra le gambe, lo afferro, ripiombo sotto, lo sospingo in alto con uno strappo, riesco a uscire, gemo, siamo sempre più al largo, è la corrente, le onde sono più lunghe. Lo riprendo per i fianchi, ma il fiato mi manca, annaspo, lo abbraccio, ha gli occhi vitrei. Le onde gonfie ci passano sotto, la spiaggia è una striscia intermittente, è così che si muore, vedo un punto scuro sull'acqua, la superficie sale, si impenna, la cresta si rovescia oltre noi, il punto si è ingrandito, è un pattino, un uomo urla, impreca, incalza sui remi, la barca si sbilancia, sta per capovolgersi, ripiomba sui cavalloni, però avanza, è veloce, riconosco il bagnino. Resisti, Carlo, ce la facciamo, è inerte, meglio così, ricupero energia, il pattino rimbalza sulle onde, ma è sempre più vicino, è a pochi metri. Coglioni! urla il bagnino, evito la punta di un galleggiante, il bagnino rema all'indietro. Prendilo per le gambe! mi grida, io lo sollevo, è rigido come un cadavere, lui riesce ad afferrarlo per le ascelle, lo strappa all'acqua e lo issa a bordo e intanto scivola all'indietro, ma non cade. Maledetti! grida, è una furia. Tienilo fermo! mi urla. Tuffa i remi in avanti, la baia si avvicina, i galleggianti sprofondano tra le onde che scivolano sopra la mia testa, vedo una massa di bolle, respiro, bevo, ma un colpo improvviso mi fa abbandonare la presa. La barca ha urtato contro uno scoglio, il bagnino impreca, riesce a disincagliarla, si spezza un remo, una ondata ci libera, ci solleva in alto, prima di scaraventarci nella imboccatura tra i due moli, voliamo come su una rapida, precipitiamo, siamo dentro il porto, qui l'acqua è calma, il fragore è lontano. Chiudo gli occhi.

«Sei un idiota!» sento gridare Franca, siamo proprio in porto, tocco il fondo sabbioso.

«Carlo!» urla Veronica entrando in acqua, come se fosse morto.

«È svenuto!» le grida il bagnino, balzando a piedi uniti sulla spiaggia.

Io mi appoggio con le braccia al galleggiante del pattino, intanto che altri si sono spinti fino a noi e trasportano Carlo sulla sabbia. Sono vivo, stremato, beato, barcollante.

«Incosciente!» sento il bagnino recriminare con disprezzo, indicando agli altri solo me. Passando dal mare alla spiaggia, le ingiurie si sono trasformate in rimproveri. Franca, insieme con Paolo e Alfredo, mi aspetta sulla passerella di legno davanti alle cabine chiuse. Fremente, di profilo, cerca di esprimere sdegno, partecipazione, commiserazione, insofferenza. Ci riesce discretamente. Alfredo si sente autorizzato dagli anni a un silenzio di superiorità. Paolo, ondeggiante tra la festa e l'accusa, mi dice con la sua voce roca: «Papà, tu sei pazzo!». «Io?» rispondo. «È stato lui a seguirmi!» Franca scuote la testa di fronte a una partita disperata.

«E come se l'è cavata il suo amico?» mi chiede la dottoressa, togliendosi la pipa dalla bocca e premendo con il pollice il tabacco nel camino.

«È rimasto in ospedale per una settimana» le rispondo. «Adesso si è ripreso, ma non è stato facile.»

«Cioè?» mi chiede con curiosità.

Le do alcuni ragguagli: infezione intestinale causata dall'acqua ingurgitata, cinque giorni di febbre, incubi ricorrenti di naufragio e di annegamento.

Però, da sveglio, ricordava che i miei inviti alla calma avevano stranamente ottenuto il loro effetto, mai si era sentito così tranquillo, come se qualcuno lo cullasse e lui fosse un neonato. «Capisco quello che vuoi dire» avevo commentato, come si dice generalmente quando non si capisce. Era stata una delle esperienze più dolci della sua vita, aveva aggiunto. «E per te?» «Io ricordo che volevo proteggerti» gli avevo risposto, «e che ero ormai rassegnato.» Gli avevo taciuto la sensazione di idiozia. Per non cadere nel patetico, avevo aggiunto: «Ero pronto a colpirti con un pugno, se ti fossi avvinghiato. Ma non ce n'è stato bisogno».

«E il bagnino?» mi chiede la dottoressa, infilando di nuovo la pipa tra i denti e arricciando il labbro superiore, con una mimica che i fumatori di pipa condividono con i cavalli.

«Ha avuto l'elogio sui giornali e la promessa di una medaglia, per avere salvato due vite.»

Aggiungo:

«Questo non mi pare del tutto preciso.»

«Perché no?»

«Io credo che senza il mio amico mi sarei salvato» le rispondo, indeciso tra la vanità e l'orgoglio. «E che lui, senza di me, non sarebbe salvo.»

«Ma lo sa che la Storia non si fa con i se?» mi dice lei ridendo.

Nella palestra si spengono le lampade, mentre le finestrelle con le inferriate, all'altezza del marciapiede, filtrano il chiarore della strada.

Fernanda si affaccia sulla porta. È la fisioterapista più anziana, la più fidata e autorevole, la più stanca.

«Io vado a casa» dice.

«Ancora qui?» finge di rimproverarla la dottoressa. «Via subito!»

Lei sorride appena, a quel cenno burbero di solidarietà dopo una giornata logorante.

«Buona sera, Frigerio» mi dice, chiudendo la porta.

La saluto.

Mi volto verso la dottoressa:

«Sono brave le sue collaboratrici.»

«Sì, molto» mi risponde lei, seria.

«Non avete uomini nel gruppo.»

«Ne facciamo a meno.» Mi guarda. «Meglio così.»

Aggiunge:

«Non sono lesbica, se è quello che pensa.»

«Non l'ho mai pensato» le dico.

Non è vero, l'ho pensato quasi subito, è quello che gli uomini amano pensare quando una donna mostra autorità, durezza e ambizione professionale. Ma già la seconda volta mi avevano informato che si era innamorata perdutamente di un fisioterapista cileno, fuggito poi in patria con la cassa. Una beffa, aggravata dal ridicolo, che l'aveva amareggiata e incrudelita, affilando il suo carattere tagliente non meno che generoso.

«Io la ammiro» le dico.

«Fa bene!» commenta.

La pipa si è spenta e questo le consente di succhiare a vuoto il cannello, scavando le gote, culmine totemico del culto del fumo.

Riprende:

«Mi parli ancora di Fano. Che reazioni ha avuto lei?»

«Franca?»

«No, lei!» indica me con la pipa. «È lei che mi interessa!»

«Un grande appetito» le rispondo. «Abbiamo pranzato al ristorante della spiaggia e ho mangiato anche gli spaghetti di Franca, che era scossa.»

«Che sensibilità!»

«Chi? Io o Franca?»

«Lei!» ride. «Come devo dirglielo?»

«Mi sentivo una grande energia» continuo. «Ero contento di me. Ero pronto a morire e non lo odiavo. Mi sembra un buon segno, no?»

«Sì, buono!» mi risponde lei burbera. «Adesso non si dia troppe arie.»

«No, non me ne do.»

«Non è vero!» esclama. «Se potesse vedersi!»

Sorrido. In questi momenti mi piace molto. Potrebbe anche diventare una cosa attraente. Dico:

«E poi ci ha pensato una sua collega a ridimensionarmi.»

«E chi?»

«La dottoressa Fazio, la conosce?»

«No» scuote la testa. «Mi dica dove lavora.»

«All'Istituto Olgiati. È psichiatra.»

«E da quando lei frequenta psichiatre?»

«Dall'infanzia. È una compagna di scuola.»

Finalmente è riuscita ad accendere la pipa. Un fumo vigoroso avvolge il suo viso. Lei aspira con una voluttà ostinata.

«E che cosa le ha detto questa amica psichiatra?»

«Che ho meccanismi poderosi di rimozione.»

«Questo le ha detto» commenta lei, scostando il fumo con la mano.

«Sì, non so se sia lusinghiero» le rispondo. «Ha usato l'aggettivo poderoso, però ha parlato di rimozione. Io non so se c'entra. Lei che cosa ne pensa?»

Rimette la pipa in bocca e parlando un poco tra i denti, con un'aria professionale, mi chiede:

«Quanti anni ha la sua amica?»

«Più o meno la mia età. Trentasei, trentotto anni.»

Riflette, sempre con la pipa in bocca:

«Io ne ho dieci di più.»

«Chi è che pensa sempre a se stessa?» le chiedo provocatorio.

«Io!» ride. «Ha ragione!»

La sera dopo, alla stessa ora, telefona a casa. Franca le chiede, con una apprensività resa aggressiva dalle delusioni:

«Telefona per alleggerire il programma di Paolo? A noi sembra un po' pesante!»

La ascolta, poi dice:

«Non è per noi, è per lui. Ci pare affaticato.»

Si stringe nelle spalle:

«Allora non dobbiamo badarci?»

Poi annuisce con un'aria più distesa:

«Ho capito.»

Mi fa un cenno con la testa:

«Ah, è con lui che voleva parlare. Arrivederci, allora. E grazie di tutto quello che fa per Paolo.»

Mi passa la cornetta, contrariata:

«È per te.»

«Buonasera» le dico cordiale.

«Ma come si agita sua moglie!» sento anche lei contrariata. «Le dica di non preoccuparsi così tanto, il bambino continua a fare progressi, abbiamo segnali precisi, non le pare?»

«Infatti.»

Faccio cenno a Franca di spegnere la televisione.

«Anche la reazione del bambino mi è piaciuta. Le ha dato del pazzo, se non sbaglio.»

«Infatti.»

«Mi sembra ben dato e ben detto» ha ripreso il suo tono simpatico. «Ma non è per il bambino che ho telefonato. È per una cosa che la riguarda.»

«Quale?»

«Lo sa che questa mattina ho canticchiato da sola?» Ha sempre un tono complice. «Non mi capitava da anni. E lo sa perché? Per Fano.»

«Per Fano?»

Franca mi guarda con aria interrogativa.

«Ho pensato a quello che mi ha detto. A quello che sentiva per il suo amico quando credeva che fosse finita.»

«Infatti» dico per la terza volta. Sono leggermente emozionato e non vorrei pentirmi di interrompere, come sempre, chi sta parlando bene di me. Lei però ha già finito. Mi dice:

«Tutto qui.»

Aggiunge:

«Può essere contento.»

Resto in silenzio. Lei dice:

«Io lo sono.»

Non so che cosa rispondere. Cerco l'impossibile salvezza nel luogo comune:

«È bello quello che mi sta dicendo.»

«Lasci perdere!» esclama lei, riprendendo il suo tono abituale, tra perentorio e amichevole. «Sono io che ho un piccolo debito. Un debito di allegria. Mi capisce?»

«Certo» sorrido.

Franca ha capito che non si sta parlando di Paolo. Si aggira nella sala cercando qualcosa che non trova.

«E ho pensato a quello che le ha detto la sua amica psichiatra. Come si chiama?»

«Fazio.»

Franca volta la testa.

«Bene. Dica alla sua amica che non ha capito niente. Glielo assicuro.»

Rido:

«Glielo dirò.»

«Solo questo» mi risponde. «A presto.»

Ha riattaccato.

Io resto con il telefono in mano. Ho un piccolo sorriso assente. Franca se ne accorge:

«Le avevi raccontato di Fano, naturalmente.»

«Sì.»

Franca si avvicina a una finestra e chiude con delicato fragore i vetri.

«E che cosa ti stava dicendo?»

«Che a ripensarci era allegra.»

«Ti stupisce?»

«Un po'.»

Franca si avvicina all'altra finestra. Si sporge sul buio e rimane appoggiata al piccolo davanzale.

«Non è poi così strano» mi dice senza voltarsi.

«No?» le chiedo incredulo.

Anche Franca mi sembra un po' strana.

«No» mi risponde seria, voltandosi. «Posso capirla.»

Aspetto che continui. È la seconda volta in pochi minuti.

Ma lei non continua.

I test

Ha problemi con la matematica.

«Anch'io ne ho sempre avuti» dico.

«Anch'io» dice Franca.

È il nostro primo conforto dopo i test.

«Io non ci ho mai capito niente» interviene mia suocera con baldanza.

La guardo. Non so come interpretare questa notizia, se trarne buoni o cattivi auspici.

«Sono sempre stata una catastrofe» aggiunge con orgoglio.

Abbasso la testa. Ci vuole poco per trasformare una conversazione in una farsa. Basta una persona. Anche questo è un test.

«Ascoltami, Paolo. Se io divido cento per due, che risultato ottengo?»

«Cinquanta» mi risponde subito.

La rapidità qui non ha importanza. È la terza volta che ripetiamo l'esercizio. A questo punto forse non fa più operazioni, ma ricorda parole.

«E cinquanta diviso per due?»

«Venticinque.»

«E venticinque moltiplicato per due?»

«Cinquanta.»

«E cinquanta moltiplicato per tre?»

Mi fissa. È convinto, come lo sono io, che sta per sbagliare.

Gli dico:

«Pensaci!»

So che, dicendo così, smetterà di pensare.

Perché lo faccio? E perché lui *vuole* sbagliare?

È agitato, il petto gli si solleva, gli occhi luccicanti. Sta precipitando verso il baratro.

«Cento.»

«No!» batto il palmo sul tavolo. «Perché dici cento?»

Mi guarda con paura diminuita, perché finalmente ha sbagliato e io l'ho aggredito.

«Non lo so!» grida con voce strozzata.

Non voglio arrendermi. È la mia debolezza. Nella vita, quando non c'è alternativa, ci si arrende. Molti non aspettano altro. Vivono per arrendersi. Ecco, mi sta riuscendo il gioco. Ingigantisco i difetti degli altri per rimpicciolire i miei.

Perché non voglio arrendermi? È per me? No, rispondo ad alta voce, è per lui. Lui mi guarda stupito, vedendomi parlare da solo. No, penso, è per

me. Lui in questo momento ha paura e deve esser-
ci una ragione. Anch'io dovrei avere paura. Sono il
suo nemico. E anche il mio.

Appoggio la guancia su un palmo. Alla fine rial-
zo la testa:

«Paolo, ricominciamo.»

Lui trasalisce.

«Il doppio di cinquanta quanto è?»

«Cento.»

«E la metà di cento?»

«Cinquanta.»

«Fin qui ci siamo.»

Allargo il palmo sul tavolo, come se volessi con-
trollarne la stabilità, non meno che il mio potere:

«E la metà di cinquanta?»

«Venticinque.»

Per ora agisce solo la memoria. Lui non calcola,
ricorda parole. Non è capire la matematica, è ripetere quello che si è imparato.

«Lo vuoi lasciare in pace?» interviene Franca.

È pallida, si è trattenuta fino a questo momento,
ascoltando dalla cucina, ma ora è piombata in sala
esasperata, a liberarlo e a vendicarlo.

Paolo la guarda con gratitudine, come una salvezza insperata.

«Sto verificando se capisce la matematica o si limita a ricordare» tento di difendermi con un sorriso innaturale.

«Perché, tu capisci la matematica?» esclama.
«Capisci forse i numeri? Proprio tu!»

È un tu carico d'aggressività, di disperazione, di
disprezzo. Che cosa capisco, io, di matematica? Mi

sono sempre affidato alla memoria. Ricordo improvvisamente la mia paralisi a una domanda *diversa* della professoressa. A una apertura per lei gioiosa e per me fatale. Bastava che proponesse: «Oppure, per dirla in altri termini...». E io questi altri termini li odiavo, non immaginavo mai che cosa fossero, non li indovinavo mai.

«Rispondi!» incalza Franca.

«Sì, è vero» provo disagio e sollievo.

«Scusami, ma allora è idiota tormentarlo così!»

Ha detto idiota in un senso impersonale, è una tacita convenzione tra di noi, la scappatoia che le consente di dirmelo in un senso diretto.

«Volevo solo che ragionasse, non che ricordasse» rispondo. «Io credo che sbagli apposta.»

«Come apposta?»

«Lui rinuncia a pensare appena mi agito. E dà la risposta sbagliata per punirsi. O forse per punirmi.»

«Basta con le tue teorie!» grida lei. «Se è così perché insisti?»

«Perché sbaglio!» grido anch'io. Calo il pugno su un bracciolo. «Non posso sbagliare?»

Non sono mai stato così fiero di proclamare un mio sbaglio. Così arrogante, così in difficoltà.

«E allora smetti!» grida lei afferrandomi un braccio.

Mi alzo di scatto e la agguanto per le spalle, la scrollo con violenza, mentre lei si divincola, gridando:

«Ma che cosa fai?»

«Tu, che cosa fai?»

C'è paura e odio nei suoi occhi, allento la presa,

lei si passa le mani sulle spalle, come se le dolessero, le fa scivolare sulle braccia, si accascia sulla sedia.

«Adesso non esagerare» le dico.

Cerco di soffocare l'ansito, di acquistare una voce quasi normale. Mostrare soprattutto calma, quando la si perde. Anche lei sta tentando di ricuperarla. Il respiro diventa meno affannoso, lo sguardo concentrato sul vuoto davanti a sé.

Paolo ci ha osservato atterrito non meno che attirato da queste scene che si ripetono con una periodicità irregolare. Franca, ritrovando una soavità inverosimile, chiede, come se si risvegliasse da un sonno ristoratore:

«Qual era il problema?»

Le leggi non scritte dei rapporti di coppia la costringono a una voce delicata, a un oblio tempestivo di quanto è appena successo.

«Il problema sono questi test maledetti» rispondo con una esecrazione altrettanto comunicativa e cordiale. «Noi continuiamo a trovargli alibi, però certi test non li sa fare!»

«Calma» dice lei, posando le mani sulle ginocchia. «Tu hai sempre parlato dei limiti dei test.»

«Infatti.»

«Che sono quantitativi e ignorano l'emotività.»

«E l'ostruzionismo» incalzo.

«Quale ostruzionismo?»

«Quando lui rifiuta di collaborare.»

«Lo fa con te, perché non lo sai prendere.»

«No, lo fa tutte le volte.»

«Non è vero.»

Rimane un po' in silenzio, amara, tesa, raccolta. Poi si volta verso di lui e gli dice, pacata:

«Prova con me, Paolo.»

Paolo la guarda con apprensione rinnovata. Da salvatrice sta prendendo il mio posto. Stringe i braccioli della poltrona.

Mi alzo e vado in cucina. È sceso un buio profondo fuori dai vetri e la pioggia continua a scrosciare nel cortile. Bevo un bicchiere di acqua del rubinetto. Ho appena saputo dalla televisione che anche l'acqua minerale è tossica e che quella del rubinetto lo è un po' meno.

Quando ritorno in sala vedo lei, sotto il cono di luce della lampada, staccare le mani dalle ginocchia e posarle sul tavolo.

«No, Paolo, cerca di essere calmo. Se il doppio di sessanta è centoventi, quale sarà la metà?»

Paolo mi guarda smarrito. Cerca un aiuto.

«Rispondi alla mamma» gli dico.

Lui non sa più dove guardare. Non c'è salvezza.

«Cinquanta!» risponde.

«No!» grida lei. «Tu ti ricordi cinquanta perché te lo diceva prima tuo padre! Che cosa c'entra cinquanta?»

Paolo abbandona i braccioli della poltrona. È arrossito violentemente e gli trema il labbro.

«Lascialo in pace» dico.

Aggiungo:

«Proveremo un'altra volta.»

Lei chiude gli occhi:

«Va bene.»

Mi siedo al tavolo. Lei si alza.

Dice:

«Mangiamo tra mezz'ora. D'accordo?»

«D'accordo.»

Prendo la mano di Paolo. Ha gli occhi pieni di lacrime, ma non piange. Gli chiedo:

«Chi ha ragione, tra me e la mamma?»

La preside cantante

Quando passa dalla quinta elementare in prima media, chiedo che rimanga con i compagni di classe. Richiesta anomala.

La preside mi riceve in guanti bianchi. Non è una metafora. Non si sa se li porti per deliquio di distinzione o per paura di contagio. Sono di pizzo traforato e a memoria d'uomo (tre anni, da quando è stata trasferita in questa scuola) non li abbandona mai.

È piccola, vivace, turgida nel suo vestito troppo stretto. Ha una voce gorgheggiante. Si sa che ama esibirsi nel canto ai saggi annuali di musica nell'auditorium a pianterreno, tra la perplessità, la simpatia e il riso della platea. Ha un carattere forte, pare, come tutti gli stravaganti integrati. Mi viene incontro con mosse vagamente teatrali, da damina settecentesca in un'opera di Cimarosa.

«Oh, professor Frigerio, quante cose belle su di lei! E anche su suo figlio Paolo!»

Accenno un inchino:

«La ringrazio.»

Mi fa sedere davanti alla sua scrivania, tra due vasi di fiori, non so quali siano, non li riconosco mai, forse gladioli gialli. Alle sue spalle si snoda un paravento orientale, con motivi faunistici stilizzati su uno sfondo verde, uccelli di palude che scendono diagonali tra le canne.

«Le piace?» me lo indica voltandosi a metà.

«Sì, molto.»

«L'ho portato da casa. È il dono di un prozio diplomatico, che era stato ventun anni in Cina.»

Mi guarda e aggiunge:

«Non ha un grande valore. Però spezza l'ambiente scolastico. Lei saprà che detesto la burocrazia.»

«Infatti» sorrido. «Mi è stato detto.»

«Perciò anche per suo figlio stia tranquillo.» Posa la mano su una pila di cartelle grigie. «Sarà iscritto alla I C e avrà un'ottima insegnante di sostegno, la professoressa Molteni, la conosce?»

«No, ma io...»

«Ha già seguito con splendidi risultati un bambino con problemi» mi interrompe, «un caratteriale, si dice così?»

«Certo» rispondo, come mi accade quando non ho alcuna certezza, ma desidero solo che la conversazione continui. «Però non è questo il punto.»

«E qual è?» chiede lei stupita, arretrando sulla sedia girevole.

«Io volevo, diciamo avrei preferito, che rimanesse con un gruppetto della sua classe. È molto affiatato con loro.»

«Si affiaterà anche con i nuovi compagni!» risponde lei risoluta. «Dov'è il problema?»

«Vede, è lui a chiedermelo» rispondo già in difficoltà. «Fosse una cosa sbagliata, sarei il primo a dirglielo. Ma mi sembra una richiesta ragionevole.»

Lei mi scruta con una attenzione improvvisa:

«Professor Frigerio, da quanti anni insegna?»

«Dodici» rispondo, a disagio, come se subissi un interrogatorio.

«Io da ventinove» mi dice con pacato trionfo. «Mi spiace confessarlo, perché così tradisco la mia età!»

Ha un'aria maliziosa, a cui reagisco in ritardo, abbozzando un sorriso.

Abbassa la voce:

«Però l'esperienza conta. E io le dico che suo figlio si troverà benissimo con i nuovi compagni.»

«Ma c'è qualche impedimento burocratico?» insisto.

«Il sorteggio» mi risponde fulminea, definitiva. Ha quella rapidità che esibiscono i superiori quando vogliono fare partecipe un inferiore di qualche segreto e insieme tenerlo lontano. «Non conosce la norma ministeriale, la 328 comma 5 del 1976? Immagino di no, lei insegna alle superiori.»

Ha acquistato un tono grave, lei che detestava la burocrazia. Non c'è come una circolare per gratificare o umiliare gli uomini.

«E che cosa dice la norma?» le chiedo.

«Che la classe in prima media deve essere assegnata per sorteggio. Tutti uguali di fronte alla legge.»

«Sì, ma lui non è uguale agli altri» le dico.

«Professor Frigerio» riprende lei con consumata pazienza. «Questa norma è stata introdotta per evitare discriminazioni. E proprio lei vuole introdurle.»

«Sì» rispondo, «io vorrei introdurre una discriminazione.»

Intravedo confusamente una via di uscita, i paradossi mi hanno sempre dato un aiuto quando la ragione me lo negava.

«Anzi sono stati i fatti a introdurla» aggiungo. «Lui non è uguale agli altri.»

«Ma ancora!» deplora, come se mi ostinassi in una aberrazione. «Non avrei mai immaginato che lei, professor Frigerio...»

«Mi ascolti, la prego, preside» rispondo. Sento che questo "preside", spoglio e insieme burocratico, crea una subitanea parità tra diversi. «Lei può immaginare se voglio le discriminazioni. Ma appunto per questo non vorrei fosse considerato uguale agli altri. Sarebbe una discriminazione per gli altri e una nuova per lui.»

«Mi scusi, ma non la seguo» mi risponde la preside, simulando, con una scossa della testa, uno stato confusionale.

«Vede, il razzismo è un'altra cosa» continuo. Mi avventuro in un discorso da evitare, ma ormai è fatta. «Riconoscere la diversità non è razzismo. È un dovere che abbiamo tutti. Il razzismo però deduce dalla diversità degli uomini la diversità dei diritti. Noi invece pensiamo che i diritti siano gli stessi per tutti gli uomini.»

«Fino a qui la seguo» dice la preside con un viso più disteso.

Ho sempre pensato che il modo più sicuro per fare cambiare idea a una persona è di rassicurarla che non la sta cambiando.

«Perciò mio figlio ha diritto allo studio nelle strutture pubbliche.» Ecco un altro aiuto lessicale alla persuasione della preside, parlare di "strutture pubbliche". «Ma ha anche diritto a essere trattato con un riguardo particolare. Ad esempio non fa ginnastica con gli altri.»

«Certamente!» esclama la preside.

«Non a caso ha una insegnante di sostegno» aggiungo.

«Appunto!» incalza.

«E allora, se vogliamo dargli un altro aiuto, lasciamolo con qualcuno della sua classe.»

Lei si prende d'autorità, sapendo che la seguo con lo sguardo, un tempo piuttosto prolungato per riflettere. Alla fine dice:

«Lo sa che suo figlio è stato sfortunato? Capitare per sorteggio in una classe dove ha un solo compagno!»

«Infatti» dico.

Non aggiungo altro. Il silenzio lavora a mio favore.

«E come possiamo fare? Lei è contrario proprio al mezzo più democratico che sia stato introdotto!» deplora la preside.

«No, è il sorteggio che, in questo caso, è contrario alla intelligenza.»

Lei alza il sopracciglio.

«E che cosa propone di fare?»

«Violare la legge per rispettarne lo spirito.» Sono sorpreso dalla mia temerarietà. «Rinunciare al sorteggio.»

«No» la preside arretra con la poltrona. «Non è possibile.»

La guardo sgomento, conscio di avere chiesto troppo. Ho sbagliato le parole, non l'obiettivo. È sempre così.

«Mi lasci riflettere» continua lei assorta.

Fisso, al di là della scrivania, un mappamondo gigantesco, azzurro, girevole, che mi aveva colpito subito entrando, sogno inappagato della mia infanzia.

«Le dispiace se coinvolgo la rappresentante dei genitori?» mi chiede indicando una porticina dietro la scrivania. «Le avevo chiesto di tenersi disponibile, se occorreva.»

«Certo» annuisco.

Non so se la cerca in aiuto suo o mio. Forse non lo sa neanche lei.

Chiude alle sue spalle la porticina. Intanto che aspetto torno a guardare il mappamondo. Il sole, a metà mattina, splende sopra il cortile. C'è una atmosfera calda, luminosa, di vacanza. Immagino le voci dei ragazzi salire dal basso. Sarebbe l'ora dell'intervallo.

«Ecco il nostro professor Frigerio» dice la preside comparendo finalmente sulla porta e indicandomi con una simpatia apprensiva. «Ed ecco la signora Matteucci.»

È una donna slanciata, elegante, morbida, dall'aria suadente. Mi guarda con un sorriso di intesa, come se già mi conoscesse.

«Ho spiegato alla signora Matteucci la situazione» prosegue la preside. «È laureata in psicologia e anche lei è rimasta un po' sorpresa.»

«Non badi alla laurea in psicologia» mi dice, in tono complice, la mia nuova nemica. «Non faccio la psicologa. Lavoro mezza giornata in una agenzia di pubblicità.»

«Interessante, immagino.»

«Meno di quanto si pensi» mi risponde (si vede che vi lavora veramente). «Ma veniamo al suo caso.»

Accavalla le gambe e vi posa sopra le mani affusolate.

Ha un sorriso che non promette nulla di buono:

«Lei vorrebbe un trattamento particolare per suo figlio. È così?»

Non si potrebbe iniziare in modo più negativo. Sorrido facendo cenno di no con la testa.

«Mi spieghi lei allora.»

«Io parto da un presupposto» comincio. «Che lo Stato voglia integrare il disabile anziché emarginarlo nelle scuole speciali.»

«È così» concede lei soddisfatta.

Sto usando il gergo che aborro, quello dei miei interlocutori. E questo toglie a me forza e credibilità, quanto più le acquisto ai loro occhi. Cambio strada:

«Guardi, Paolo è disabile e avrà una insegnante

di sostegno» riprendo concitato. «Io vorrei che avesse il sostegno anche di un gruppetto di compagni.»

«Perché? Me lo dica, professor Frigerio» mi chiede con immensa, pacata curiosità la signora Matteucci. Ha appoggiato un gomito sulla scrivania, il viso sul palmo e si accinge ad ascoltarmi come se dovessi rivelarle un segreto. «Perché suo figlio tiene tanto ai suoi compagni?»

«Anche loro tengono a lui!» le rispondo. «La classe gli ha dato solidarietà, stima, amicizia. Ma anche lui ha dato molto alla classe. Questo me l'ha sempre detto la sua maestra. Per loro è stato uno sprone, uno stimolo. Magari per compensazione, ma che importanza ha?»

«Le credo» annuisce la signora Matteucci, spalancando gli occhi. Molte donne lo fanno, convinte che sia un effetto speciale.

«È stata una constatazione insperata» continuo. «Una classe che ha tratto vantaggio dalla presenza di un disabile, come lui dagli altri. Perché dobbiamo interrompere questa esperienza?»

«Ma chi la interrompe, professor Frigerio?» mi chiede la signora Matteucci, con un tono tra sbalordito e didattico. «Suo figlio avrà rapporti interpersonali altrettanto positivi.»

«Sì, ma lui soffre di ansie un po' speciali» azzardo, non sapendo a quale punto dare importanza. «L'idea di perdere i compagni, che poi si ritrovano tra di loro nelle altre classi, gli sembra una ingiustizia.»

«Sta a lei convincerlo!» interviene la preside.

«Ma lo sembra anche a me!» ribatto. «Perché

complicargli la vita più del necessario? Per un sorteggio?»

«Si calmi, professor Frigerio!» replica la preside, con perorazione accorata. «Io capisco il suo stato d'animo, ma la norma non è una invenzione nostra.»

«D'accordo» rispondo. «Nessuno come me lo capisce» (come mai mi è venuta una frase così assurda?). «Però è il colmo diventare schiavi di un sorteggio!»

«E perché?» mi chiede la preside, con uno stupore finalmente genuino. «Quante volte non è accaduto nella Storia?»

Anch'io la guardo stupito. Capisco che non è questa la via da seguire.

«Frigerio, ragioniamo con serenità» interviene la signora Matteucci con voce amabile. Ha soppresso il titolo di professore e questo sembra invogliarla a un tono confidenziale, quasi intimo. «Mi risponda, ma con sincerità, mi raccomando.»

«Sì» annuisco.

So per esperienza che gli inviti alla sincerità nascondono invariabilmente impulsi aggressivi.

«Perché, Frigerio, lei teme i nuovi compagni?»

«No, è lui che li teme, anzi non li teme. Vorrebbe semplicemente conservare qualche vecchio compagno, perché erano legati tra di loro, lo proteggevano.»

«Ecco la parola spia!» esclama con misurato entusiasmo la signora Matteucci, rialzando la testa. «Protezione! Lei vuole proteggere troppo il suo ragazzo! E invece lui deve affrontare la vita!»

Aggiunge, come arrendendosi a una irresistibile novità:

«La vita è rischio!»

La ascolto trasecolato. Trovi sempre qualcuno pronto a indicarti la strada che tu percorri tutti i giorni. Ma lo fa, dice, nel tuo interesse e devi perfino ringraziarlo.

La signora Matteucci ha un soprassalto, mentre affonda con agilità l'ultima stoccata:

«Non sarà, Frigerio, che lei vuole proteggere se stesso? E che il ragazzo è una proiezione delle sue paure?»

«Chi? Io?» Abbasso la testa. «No, mi creda. Il problema è molto semplice ed è un problema di buon senso.»

Uso questa parola con disperazione. Mi è sempre parsa una rinuncia, qui sta diventando una conquista. Mai però pregiudicare l'incontro. Quante volte accreditiamo agli altri, senza che se ne accorgano, l'intelligenza di cui mancano.

Sento che le due donne si guardano e mi sembra un auspicio positivo. La signora Matteucci ha una resipiscenza:

«Frigerio, lei non vuole approfittare, vero, del suo ruolo di insegnante, per chiederci una infrazione della norma?»

«Approfittare?» sollevo gli occhi. «Non mi sembra la parola giusta.»

«È vero, volevo dire un'altra cosa, lei mi ha capito.»

Annuisco, ma non ho capito, forse ha scelto la parola sbagliata per potersi correggere.

«Resta però un problema» interviene allarmata la preside. «Come si fa a rinunciare al sorteggio. È la legge.»

«Non si rinuncia» ricupero sicurezza. «Il sorteggio avrà un esito più intelligente. Perché dobbiamo accettare un sorteggio stupido?»

«Ma perché è un sorteggio!» reagisce lei.

«E noi, che siamo più intelligenti, lo modifichiamo. Basta leggere una D invece di una C. Basta un tratto di penna.»

«Ma come è disinvolto, Frigerio!» esclama la preside.

Anche lei ha rinunciato al titolo, questa diminuzione mi accresce.

Si volta verso la signora Matteucci:

«Lei che cosa ne dice?»

«Io niente, perché non ho visto né saputo niente.»

Mi appoggio allo schienale della poltrona.

«I D, vero?» chiede conferma la preside.

«Sì, grazie» le rispondo.

«E di che cosa?» dice lei.

La Matteucci (rinuncio anch'io a "signora", salutandola) esce dalla porticina dietro la scrivania. Ho partecipato a una recita che mi lascia prostrato, felice, malinconico, una piccola vittoria in una guerra destinata a non avere fine.

Prendo congedo dalla preside. Sulla porta non resisto alla tentazione di toccare il mappamondo. Lo faccio girare piano in senso antiorario.

Morte di una attrice

Mia madre è morta quando Paolo stava imparando a camminare. Non so se le piacerebbe questo incipit del suo necrologio. Pur avendo dedicato le energie residue a questa meta (aiutava ogni giorno Franca nella ginnastica del bambino, in una competizione instancabile con mia suocera), aveva un senso esclusivo del proprio destino. E forse l'amore accanito che provava per questo nipote non bastava comunque a occupare – per usare una metafora a lei congeniale – la scena. Pensiamo i genitori in funzione nostra (quando non lo sono, li ripaghiamo di un odio inestinguibile), finché, raggiungendo la loro età, cambiamo la nostra prospettiva nella loro. Ma di solito è troppo tardi per informarli.

Mia madre aveva aspettato vanamente nove anni, lei che mi raccontava come io avessi cominciato a camminare a nove mesi. Ambiziosa, amara, mai paga di quanto la vita le dava e sempre ferita da quanto le negava, investiva di significati iperbolici anche le umiliazioni che subiva. Paolo che compiva i primi passi vacillanti era diventato un campione da guardare con ammirazione. E lei faceva partecipi le sue amiche di questi trionfi. Le lacrime che ogni tanto le sfuggivano erano il solo segnale del suo tormento; ma bastavano a compensare il disagio per quel profluvio di successi. È sempre bene, se vogliamo la solidarietà, inserire voci passive nei nostri bilanci. Gli altri ce ne sono grati. E sappiamo che mai ci vogliono così bene come quando non stiamo bene.

Dilettante da giovane in una filodrammatica di provincia, non aveva mai abdicato idealmente al suo destino di attrice. L'aveva solo sacrificato deliberatamente a un orgoglio smisurato. Cesare, che preferiva essere primo in un villaggio che secondo a Roma, era riuscito alla fine a essere primo anche a Roma. Lei, temendo di non poterlo emulare nella capitale, aveva rinunciato anche al villaggio. Era questa la differenza tra lei e Cesare: che Cesare si sarebbe accontentato di un villaggio.

Desistendo dal fare del palcoscenico la propria vita, l'aveva trasformata in un palcoscenico. Amava le cerimonie, le feste, i ricevimenti, le serate mondane. Mio padre, ufficiale superiore dei carari, sedotto all'inizio della carriera dalla recitadi lei, ne era stato in seguito dolcemente nauseato. Non osava contrastare quella che considerava una esistenza estetica, illudendosi di condividerla con lei, senza mai capire, fino alla fine, quanto l'estetica fosse estranea a tutti e due. Quando mia madre, nelle feste, si aggirava raggiante in un appartamento troppo piccolo per le sue ambizioni, lui si rintanava nel suo angolo, dove l'occhio fisso svelava la lotta contro il sonno. Non mi ero mai chiesto se l'avesse tradita, domanda che i figli non si pongono finché non tradiscono loro. Allora scoprono abissi virtuali nel passato dei loro genitori, drammi ipotetici e commedie recitate con dissimulata pazienza. Quando mi sono posto la domanda, non ho trovato risposta. Era molto più anziano di lei, un dato che schiudeva altrettante possibilità che se fosse stato più giovane. Mi illudo invece di divinare, retrospettivamente, il comportamento di mia madre.

Rapito da morte fulgida (così aveva scritto lei nell'epitaffio che mi mostrava da bambino al cimitero monumentale), mio padre le aveva lasciato, più che il rimpianto di un uomo, l'eredità della divisa che lo aveva rivestito. E, a questa, lei probabilmente era stata fedele, sognando nel suo patriottismo visionario di essere stata la compagna di un eroe.

Quando era caduto per errore in una simulazione di imboscata, lei si era chiusa in un lutto teatrale protratto per anni. Come accade a non poche vedove, la sua vita coniugale era diventata, nel ricordo, sempre più invidiabile, anche perché aveva conosciuto il suggello della fine. E aveva educato i figli a un culto della memoria che mi sembra, a distanza di anni, una apoteosi laica in chiave domestica.

Non penso potrei mai assurgere a tale divinizzazione con i miei due figli. Franca non vi contribuirebbe mai, loro ne sarebbero stupefatti e io con loro. Quanto a mia madre, la mia rinuncia a qualsiasi divisa era l'opposto di ciò che sperava lei.

Così nascono gli dèi familiari e così tramontano.

Ogni tanto, stremata dalla ginnastica riabilitativa e dalla convivenza con noi, si prendeva periodi di congedo in cui tornava a casa sua. Abitava in una villetta dell'hinterland, parola che aveva adottato con disinvoltura, forse perché le sembrava nobilitasse con uno sfondo inglese una periferia degradata. La condivideva con una signora altrettanto vecchia, vedova di un capostazione in pensione. Niente le accomunava tranne il giardino in comune. Eppure con il tempo avevano imparato a sopportarsi, concedendo ciascuna all'altra una superiorità nel campo che a ciascuna importava meno: mia madre si annetteva la cultura, l'altra là praticità. Ciascuna dubitava della legittimità di questa spartizione e qualche improvviso sarcasmo lo lasciava trasparire. Ma avevano anche imparato a posporre il proprio scetticismo a un bene che il passare degli anni rende inevitabilmente più importante in qualsiasi contesto: l'armistizio.

Mio suocero le portava spesso Paolo in automobile, qualche volta con me. Lei ci accoglieva sotto il porticato del giardino. Trovava che il nipote facesse progressi grandissimi, ma il suo entusiasmo finiva per deludermi. Avesse detto progressi le avrei creduto. È l'eccesso a tradire la menzogna, la verità non ama i superlativi.

La sua ospitalità scandiva riti di altri tempi. La finta sorpresa, le proteste per il disordine in cui veniva trovata, l'offerta di una colazione frugale accuratamente studiata (lo stesso che oggi). Nei suoi *a parte*, non sul palcoscenico degli ospiti, ma in una zona solitaria del giardino, si rivelava invece sempre più umana. Mi chiedo che significato abbia l'aggettivo, tutto ciò che fa l'uomo è umano. Però *umano* ha un senso più misterioso e più forte. Rimanda alla resa di fronte alla verità. Mia madre, in un angolo del giardino, tra il tetto spiovente di un pollaio restaurato e le sedie di plastica accostate alla siepe di robinia, si arrendeva alla verità. Mi diceva ad esempio che non era più sicura di rivedere mio padre. Per una credente fatalmente fanatica come lei, ovvero intollerante dei propri dubbi, era una ammissione imprevista. Non ne sembrava particolarmente dispiaciuta e anche questo era il segno di una sincerità tardiva. «Non sono più sicura di niente» mi aveva confidato un giorno, mentre mi versava la cioccolata in una chicchera del servizio acquistato nel 1932 a Faenza.

Un'altra volta, un pomeriggio di settembre silenzioso e arieggiato, il vento tra le piante del frutteto, mi aveva confessato, e c'era nel suo viso una stanchezza sorridente: «Lo sai perché mi dispiace di morire? Per il sole».

Non so se fosse una reviviscenza domestica del Sole adorato dagli Egizi o il ritorno delle parole di Antigone recitate sessant'anni prima o una intuizione fra antropica e cosmica. O più semplicemente una solitudine riscaldata da un tepore familiare, nei lunghi pomeriggi che trascorreva vicino alla rete del giardino, guardando le automobili che passavano sulla tangenziale sopraelevata.

Negli ultimi mesi aveva acquistato una visione lenticolare del tempo. Viveva non giorno per giorno, ma ora per ora. Avendo superato i novant'anni, limite che lei aveva imperiosamente assegnato al destino, si sentiva una sopravvissuta. E aderiva con una intensità sconcertante al presente, senza rimpianti né speranze.

Coltivava con cure assidue un piccolo orto, a una estremità del giardino. A me appariva sempre visionaria, come da bambino. Ma mentre allora non condividevo le sue illusioni, ora ascoltavo con interesse i suoi racconti sulla crescita dei legumi. Era diventata visionaria nel piccolo.

Questo l'aveva resa comprensiva anche nei confronti dell'handicap. Prima lo odiava, ora amava i suoi spazi di serenità. Non chiedeva più dove Paolo falliva, ma dove si divertiva, dove stava bene. E le lacrime che ricacciava sorridendo erano di gioia malinconica.

Forse non le sarebbe spiaciuto sentire le parole che un vecchio prete, vibrante nella voce gagliarda e arrochita, aveva pronunciato davanti alla sua bara, la mattina delle esequie. Aveva parlato di vita, non di morte, di risurrezione del corpo, non di dissolvimento, di luce sfolgorante, non di buio. Di una felicità che aveva disorientato le maschere dei presenti, quelle serene dei congiunti e quelle gravi e austere dei turisti del lutto. Non aveva avuto parole per lei e l'avevo considerato un segno provvidenziale, perché le sarebbero apparse comunque inadeguate.

Dopo quella strana cerimonia, forse più vicina al tempo delle origini che agli orari della metropoli, forse più prossima a una festa che a un funerale, mi era parso, uscendo dalla chiesa, di accompagnarla a un ultimo viaggio tra i campi. E mentre nella mattina di giugno, calda e limpida, seguivamo l'automobile con la bara in una strada di campagna, costeggiata da muri a secco e sovrastata dagli alberi, pensavo al sole che lei aveva imparato ad amare e che brillava tra i rami, remoto e vicino.

Un consulto tardivo

Tra i molti medici che si sono occupati di Paolo ne ricordo uno di cui ho dimenticato quasi tutto: il viso, il nome, le circostanze del consulto. Ci eravamo rivolti a lui, se non sbaglio, tredici anni dopo la nascita. Specialista di larga esperienza e larga fama, ce l'aveva consigliato un amico comune. Speravamo un conforto per le cure che avevamo seguito fino allora e magari un suggerimento decisivo, che consentisse una accelerazione nei progressi innegabili. Non ricordo neanche dove abitasse, né il suo studio (spesso mi interessano di più gli appartamenti che i loro occupanti). Eravamo meno attanagliati dall'angoscia del futuro, che non abbandona mai chi ha un figlio disabile. E aspettavamo calmi il suo consulto.

L'unica cosa che ricordo sono le sue parole, queste sì, che riporterò alla maniera degli storici antichi (anche se non sempre lo dichiarano). Userò cioè parole mie per riprodurre il senso inequivocabile delle sue:

«Mi dispiace, credetemi, per il lavoro che avete fatto e che soprattutto lei, signora, ha fatto, ma è stato perfettamente inutile. Io non ho alcuna fiducia nel metodo Doman. Ha l'unica caratteristica di anticipare di poco i progressi che il paziente farebbe in ogni caso. Ruotare di centottanta gradi il capo del bambino quattrocento volte in un giorno e bombardare il suo cervello di stimoli produce qualche effetto. Ma lo produrrebbe anche una carezza insistita sulle dita di un piede o un giro nel parco su una carrozzella sospinta dalla madre. La fisiologia potentemente reattiva del bambino ne sa di più che la patologia aggredita da Doman. Lo so, può essere per voi una sorpresa amara, ma il ragazzo, a quanto posso capire, ha fatto progressi. È così importante sapere perché?»

È probabile che a questo punto ci avesse sorriso, solidale quanto orgogliosamente rassegnato al proprio sapere.

Mi accorgo invece di ricordare (forse non è casuale) la nostra reazione, che ci aveva sorpreso tutti e due. L'uomo è sempre lo spettacolo più imprevedibile anche per se stesso. Era come se avessimo appreso una beffa subita da altri, non da noi. Quel discorso non ci aveva sconvolto, come sperava il suo autore (oggi che posso giudicarlo dopo anni). Mai direi a un mio ex alunno che i suoi studi sono stati perfettamente inutili e che avrebbe appreso meglio per altre vie quello che aveva imparato faticosamente a scuola. Spesso la crudeltà viene chiamata inconscia solo perché ricorre al sorriso per occultarsi: la lama affonda nel costato, ma chi ti pugnala ti sorregge amorevolmente e ti conforta. Quanto ai medici – e con debita esclusione dei migliori – hanno un alibi in più, la franchezza deontologica (un altro è la stupidità, ma non lo sanno). Lo specialista aveva provato un brivido di piacere nel rivelarci l'inutilità di un decennio di lavoro. Ma proprio questa percezione lo riduceva ai nostri occhi e inficiava l'attendibilità del suo bilancio. Aveva certamente esagerato per gusto del paradosso e accanimento cordiale. La sua delicata ferocia ci rassicurava.

A me era tornato alla memoria un racconto di Maupassant, credo si intitolasse *La collana*: la protagonista, dopo avere sacrificato anni della sua vita per pagare il debito di una collana di diamanti avuta in prestito e subito perduta, scopre atterrita, alla fine del racconto, che la collana era falsa. No, noi non avevamo reagito con il panico, neanche retrospettivo, e questo segnava la diversità delle due situazioni. Quegli anni erano stati una scalata per il bambino e per noi, ci avevano aiutati a sperare. Noi gli avevamo probabilmente trasmesso – attraverso il supplizio quotidiano di una ginnastica ossessiva – anche una irresponsabile fiducia nel ricupero. E questo, alla luce dei risultati, doveva avere contato.

Da allora non abbiamo più parlato di quel medico. E il temuto "ritorno del rimosso" neanche oggi ci fa paura. Forse non l'avevamo rimosso, ma dimenticato. Eppure – per qualche aspetto – aveva ragione lui.

Era lui che era sbagliato.

Tempo al tempo

«Sì» mi risponde Franca. «Come tutti i ragazzi della sua età.»

«Da che cosa lo capisci?»

Siamo seduti nella stanza di Paolo, che è sceso in cortile a girare sul motorino elettrico. Lei mi indica il letto:

«Glielo rifaccio tutti i giorni.»

«E non sono polluzioni notturne.»

«No, non sono polluzioni notturne.»

«L'hai visto?»

Mi guarda impaziente:

«No, ma è come se l'avessi visto.»

Fingo di restare indifferente, ma non lo sono.

Annuisco:

«È normale.»

Non so se confortarmene o rammaricarmene.

Lei dice:

«Però tu dovresti parlargli.»

«Di che cosa?»

«No, non di questo» mi risponde seria. «Dell'argomento in generale. Può essergli utile per maturare.»

«Ti sembra infantile?»

«Non ricominciare, ti prego, con le tue fissazioni!» esclama. «Te l'ha ripetuto anche la dottoressa che è intelligente! Ti preoccupi solo della intelligenza!»

Evito di guardarla:

«Mi preoccupo della cosa più importante.»

«Ma certo, però lui ha una esperienza più limitata dei suoi coetanei. Appunto per questo dovresti intervenire.»

«Tu credi che gli farebbe bene?»

«Sì!»

È sorpresa lei stessa.

Mi dice, con una incredulità coniugale:

«A te dà retta!»

La ascolto in silenzio.

«E poi, fai o no l'insegnante? Potresti insegnare qualcosa anche a tuo figlio!»

«D'accordo» rispondo, incredulo anch'io.

È sdraiato sul letto con un cuscino dietro le spalle, i piedi appaiati.

«Paolo, non vuoi che parliamo un attimo?»

È la premessa indispensabile per i problemi più importanti, quelli per i quali abbiamo meno tempo.

Ha una smorfia apprensiva, una diffidenza malcelata. Mi accoglie come un visitatore importuno, di quelli che ti telefonano all'ora di pranzo, mentre stai mangiando, perché, confessano, sanno di trovarti in casa. Penso immediatamente a una mia amica, che mi raccontava l'inesplicabile resistenza di sua figlia al dialogo con lei. «Non mi stupisce, conoscendoti» avevo commentato. Poi, più serio: «Non credi che il dialogo includa il silenzio?».

Sto ripetendo lo stesso errore.

«Sì» mi risponde, sollevandosi a fatica sul letto. «Di che cosa?»

«Dei rapporti con le ragazze.»

Ho acquistato un tono improvvisamente disinvolto, come se inseguissi una idea bizzarra che mi attraversa la mente.

Lui ha un lieve sobbalzo, poi i piedi ritornano appaiati.

«Vuoi che ne parliamo?»

Mi fa segno di sì con la testa.

«Ad esempio, tu sai come avvengono i rapporti sessuali?»

Mi fa ancora segno di sì.

«Sai perché te lo chiedo?» continuo. «Perché io, quando avevo la tua età, ancora non lo sapevo.»

È vero, lui mi guarda leggermente sconcertato. Avevo individuato alcune tessere del puzzle, ma non sapevo come combinarle. Avevo perfino immaginato che la donna avesse una pompa aspirante e che l'uomo ne fosse risucchiato. Una cosa assurda, quasi vera.

«Tu sei un bel ragazzo, hai problemi nel camminare e nel parlare, però potresti benissimo piacere.»

«Sì» annuisce di malavoglia.

«Hai il senso dell'umorismo e sei molto gentile. È un aspetto che piace alle ragazze. Sei anche galante.»

Gli strizzo l'occhio e lui sorride per la prima volta. «Che cosa ti manca allora per conquistarle?»

Do per acquisito che gli manchi qualcosa e questo lo fa ricadere nel disagio. Altro errore è chiedere proprio a lui la risposta.

«Forse c'è qualcosa che ti manca» dico.

Lui mi guarda con una curiosità rassegnata. Lo sapeva che gli adulti chiedono per rispondere loro.

«Un po' di malizia» aggiungo. «Devi incuriosirle. Devi cercare di sorprenderle.»

Gli sto dicendo quello che mia madre, partecipe delle mie storie sentimentali, mi diceva delle donne quando ero ragazzo come lui. Ne parlava come di oggetti meccanici dalle reazioni programmate e mostrava un certo disprezzo, non inferiore a quello che riservava agli uomini.

Paolo è perplesso.

«Devi essere meno infantile» gli dico. «A volte sei ripetitivo.»

«Anche tu lo sei.»

Sa che ritorcere le accuse funziona sempre. Rido. Sta guadagnando terreno. Forse è quello che voglio anch'io.

«Vedi, non è questo il punto» continuo. «Tutti gli uomini sono, a modo loro, infantili. Non si esce mai dalla infanzia. Ci siamo rimasti troppo a lungo.»

Mi ascolta con interesse maggiore. Si parla meno di lui e più degli uomini. Anch'io ho un interesse maggiore per quello che sto dicendo (si insegna solo quando si impara?).

«Perciò alle donne non dispiace che gli uomini siano infantili. Basta che non lo siano troppo e non lo siano sempre.»

Non commenta, ma sembra d'accordo.

«Tu dovresti incontrare una di quelle ragazze altruiste che sono disposte ad affrontare certe difficoltà. Non che manchino, anche con loro, le cattive sorprese.»

«E allora?»

Si acquieta quando i problemi diventano troppo complicati e il suo caso rientra nella complicazione universale.

Gli dico, per uscire dall'imbarazzo:

«Comunque mi hai capito.»

«No.»

Ridiamo tutti e due. Forse non ci siamo capiti, ma ci siamo intesi.

Ne approfitta per il suo guizzo finale, che al momento gli preme di più. Mi dice, per farmi uscire dall'imbarazzo:

«Papà, tempo al tempo.»

Non te l'aspettavi

Per qualche anno, tra i dieci e i quindici, mi ha detto, in occasioni diverse, questa frase. Quando riusciva a salire da solo, mentre io premevo il tasto dell'ascensore, i tre gradini che lo separavano dal piano rialzato. Quando riempiva il bicchiere senza versare una goccia, inclinando con mano tremante la bottiglia dell'acqua minerale. Quando buttava il pallone di gomma dentro un grande cesto, senza cadere all'indietro e picchiare la nuca contro il tappeto elastico. O quando prenotava al telefono due posti per uno spettacolo di musiche popolari, le preferite, e il botteghino accoglieva la prenotazione anziché interrompere il contatto. Spesso infatti scambiano la sua voce lenta, strascicata, talora inarticolata, per uno scherzo e riattaccano. In altri casi gli chiedono di ripetere la frase, con lo stesso esito. Lui non si arrende, il viso immediatamente sudato, gli occhi lucidi, una determinazione che mi inorgoglisce e mi esaspera. Vorrei intervenire al telefono e gridare a chi sta dall'altra parte di essere più attento e concentrato, di non ricorrere subito a quel "Non capisco" di cui molti, anziché rammaricarsi, si compiacciono.

«No, non me l'aspettavo» gli rispondevo, preso da un entusiasmo eccessivo per la mia sincerità. Finché mi sono accorto che gli causava dispiacere. Era come se riaprissi una ferita che lui voleva richiudere. E sceglievamo tutti e due il modo sbagliato. Arrossiva di una malinconia retrospettiva che gli intossicava il piacere del momento. Aveva nelle pupille un lampo di presentimento inquieto, come la conferma di una paura inestinguibile. Io cercavo di valorizzare il presente, ma questo rendeva il passato ancora più insopportabile. Vedersi negata la fiducia dalle persone cui teniamo di più è una esperienza atroce che tutti abbiamo attraversato. Ci ha fortificato contro le ricadute, ma l'abbiamo pagata a prezzo della durezza, che ci nega la felicità dell'abbandono, a noi stessi e agli altri.

Paolo non voleva che gli confermassi la sfiducia con cui troppi genitori accompagnano la crescita di un figlio. Nella sua ingenuità ripetitiva sperava che il presente gettasse una luce liberatoria sul passato. Che la condanna inappellabile pronunciata sul suo futuro venisse modificata da una sentenza retroattiva. Finché una sera avevo ripensato a una frase che mi aveva riservato, quando ero ragazzo, un professore di italiano («Tu non saprai mai scrivere!»), in un accesso furioso di stupidità e di crudeltà, una frase mai dimenticata e che mi perseguita, nella sua ingiustizia, da allora. E avevo capito che con Paolo dovevo modificare il passato, per renderlo accettabile a lui (mentre con il mio non mi era più possibile). Così gli avevo detto, parlandogli con gravità, con quella verità che scopriamo quando la stiamo alterando:

«Vedi, non è che io non credessi in te. Io speravo che tu ce la facessi, ma non volevo illudermi. Sapevo che se mi fossi illuso sarei diventato insofferente a ogni tuo sbaglio. Perciò, contro il mio presentimento, preferivo disperare. Capisci?»

Non so se lui avesse capito quello che gli dicevo. Spesso gli altri capiscono solo che siamo turbati e che vogliamo aiutarli. E ci restituiscono ciò di cui abbiamo bisogno, il loro aiuto.

Da quella volta Paolo non mi ha più chiesto se me l'aspettavo.

Una ragazza al telefono

Lo vedo paonazzo al telefono, che balbetta. Ha il viso sudato, gli occhi luccicanti.

Franca, passandomi vicino per andare in corridoio, mi sussurra:

«È una ragazza che gli ha già telefonato.»

Lui tiene la testa bassa, le chiede, con la sua voce un po' roca e affaticata:

«Ma tu come ti chiami?»

Rimane ad ascoltarla in silenzio, il respiro affannoso. Poi dice smarrito:

«Non mi ricordo.»

Alza lo sguardo e, vedendomi, lo volge subito altrove.

Poi sospira, prende fiato. Di solito, se sono presente, lo sollecito, magari a gesti, a rispondere più rapido, per non stancare l'interlocutore. Ora però non gli dico niente.

Le chiede con la sua lentezza, ma con un occhio vagamente ammiccante:

«Dove vuoi che ci vediamo?»

Lei non deve avere capito perché lui tenta, come fa in quei casi, di sillabare:

«Do-ve vuoi che ci ve-dia-mo?»

Aspetta trepidando. Avrei voglia di abbracciarlo. Le chiede:

«Quando?»

Poi resta con il telefono in mano, stupefatto, sgomento.

Mi siedo vicino a lui:

«Ha riattaccato?»

Lui mi risponde:

«Sì.»

«La conosci?»

Mi fa segno di no con la testa. Temo stia per piangere.

Non so che cosa dire, tranne la verità. Subito. Almeno la verità.

«È uno scherzo, Paolo. Non devi prenderlo sul serio!»

Annuisce.

«È uno scherzo idiota. Lo facevano anche nella mia classe, le ragazze telefonavano a quelli di un'altra, senza farsi riconoscere.»

Sto mentendo (a proposito della verità!). Ma potrebbe essere vero.

«Reagisci!» insisto. «Non devi badarle, è una stupida. La prossima volta diglielo!»

Lui mi guarda:

«No!»

«E invece sì! Impari che ci sono ragazze stupide. Non darle spazio!»

«Ma l'amore è importante!» mi dice con una voce strozzata e finalmente chiara.

Aggiunge:

«Tu forse non lo sai!»

Cerca di divincolarsi da me, che l'ho preso per le spalle.

«Ma sì, Paolo, lo so!»

«Lei mi ha parlato di questo!»

Sento che devo distrarlo, non assecondarlo. Se mi vedesse emozionato, sarebbe peggio.

«Lei è una ragazzina, devi compatirla» gli rispondo, prendendogli una mano nelle mie. «Sono scherzi idioti, però io non riesco neanche a detestarla!»

Mi fissa stupito.

«Sì, che lei ti faccia uno scherzo è idiota» continuo. «Anche crudele. Però ti tratta come tratterebbe gli altri. Non ti commisera, capisci? Certo non possiamo apprezzarla, ma c'è di peggio.»

Non so che cosa stia dicendo, ma l'ho distratto. E qualcosa deve averlo confortato. Si sta calmando.

Aggiungo:

«Quando crescerà, sarà la prima a capire di essere stata stupida.»

La battuta non lo convince. Ho detto fatalmente la parola in più che diminuisce le altre. Perché scommettere sul futuro di quella ragazza? Perché tanta beneficenza differita?

«Hai ragione, Paolo» gli dico. «Può darsi che resti una stupida. Pensa a quanti stupidi ci sono in giro. Tu credi che da ragazzi fossero intelligenti?»

Gli viene da sorridere.

«Ecco, così va bene» proseguo. «Non vale la pena di chiedersi perché l'ha fatto.»

Ha riacquistato un viso serio e deluso e con la sua voce bassa mi risponde:

«L'ha fatto perché sono un disabile.»

Preghiere

La guarigione, finché Paolo ha avuto due anni, doveva essere *completa*. Era la mia richiesta quando pregavo, la domenica, durante la messa. Avevo ripreso ad assistervi dopo anni di distacco e, supponevo, di congedo. Ero convinto da una voce interiore (la udivo distintamente, direi fisicamente, e non mi sembrava la mia) che sarei stato esaudito.

In seguito ho diminuito la richiesta. Ho abolito l'aggettivo *completa*. Mi bastava che la guarigione fosse parziale. Ero disposto, in quella trattativa appassionata quanto squilibrata con chi può tutto, ad accettare qualche minorazione in Paolo. Concessioni (non so se a me o all'Onnipotente) che una volta mi sarebbero parse atroci; ma che ora – poiché le sue condizioni si rivelavano più gravi, almeno rispetto alle nostre aspettative – mi sembravano accettabili. Sentivo la voce, dopo un silenzio prolungato, che mi rispondeva sì, lo otterrai.

Uscivo da quell'appuntamento rinfrancato. E anche confortato dalla mia accortezza nella trattativa. Non promettevo cose che non avrei saputo mantenere. No, non avrei lasciato lei, questo non lo promettevo. Non potevo perderla per una mia decisione, né ero pronto per una amputazione cui non avrei saputo rassegnarmi. Neanche l'Onnipotente del resto me lo chiedeva. Mi sentivo abbastanza sicuro della sua tolleranza, anche se preferivo non sottoporlo – e sottopormi – alla prova del sì. Che cosa avrei fatto se mi avesse risposto di no?

Mi rendo conto che quel modo di pregare può apparire assurdo o irresponsabile. Posso solo rispondere che era il mio. Taccio però il trasporto, il fervore e il rapimento con cui pregavo. Lo lascio – come dicevano una volta i narratori quando volevano sottrarsi al rischio di una caduta – immaginare al lettore. Altri invece, oggi soprattutto, lo raccontano, ma non so se il lettore ci guadagna. L'emozione è insidiata dalla commozione, che vela gli occhi e ostacola la voce. Basta che il lettore attinga alla sua esperienza e non avrà difficoltà a capire. È certo che nessuno prega l'Onnipotente con le mani in tasca.

Facevo invece concessioni sugli incontri con lei. L'avrei vista una volta in meno alla settimana, benché questo comportasse trattative anche con lei, che ignorava le mie trattative con l'Onnipotente. E promettevo inoltre sacrifici della gola, non privi di ricadute positive sulla dieta, che da sola non sarebbe bastata a impormeli. Forse contavo, per questo compromesso utilitario, sulla longanimità e l'indulgenza del mio Interlocutore. Non sulla sua distrazione, data l'onniscienza.

Questa bilancia paranoica del dare e dell'avere non so dove io l'abbia appresa. Può darsi da bambino nelle scuole religiose, dove una giustizia finalmente divina garantisce la remunerazione dei fioretti. Era comunque un progresso rispetto ai comandanti romani, che per non vedere, prima di una battaglia, segnali sfavorevoli degli dèi, chiudevano le tende della portantina, sperando di indurli a un cambiamento di programma. Io forse, ammaestrato dai secoli, non seguivo un legalismo formale, ma una linea più morbida.

Chiedevo una guarigione miracolosa, ricordando che nei Vangeli la fede l'aveva spesso ottenuta. Ma com'era la mia fede? Intermittente e ondulatoria: alta nelle occasioni del bisogno, tenue e circospetta nelle altre. Quando ci chiediamo se gli antichi credevano *veramente*, dovremmo chiederci come crediamo noi.

C'era però qualcosa di invincibile nel bisogno di pregare, una necessità non meno ineluttabile di quella in cui mi dibattevo. E che la ragione la considerasse irriducibile a sé non mi inquietava, perché la sua evidenza era maggiore. Vivevo questa percezione solo quando pregavo, come la luce abbagliante di un falò a pochi metri di distanza. A mano a mano che mi allontanavo, il chiarore diminuiva nella notte e si dissolveva nella luce del giorno. La frase che nei Vangeli congeda chi crede alla guarigione, "Va', la tua fede ti ha salvato", io la sentivo quando ero vicino al fuoco. Ma non mi accompagnava più mentre rientravo a casa, trasformata in una palestra nevrotica per progressi troppo lenti. Solo adesso, trent'anni dopo, comincio a capire: ovvero ad acquistare, almeno retrospettivamente, più pazienza. Da giovani chiediamo a Dio tutto e subito, perché Dio è giovane come noi. Poi invecchiamo e anche Dio diventa più lento. Del resto ci ha lasciato il tempo per maturare. In questi giorni sono stato visitato, per un mio disturbo, da un giovane omeopata, cui ho chiesto incautamente: «Guarirò?». Mi ha guardato perplesso e mi ha risposto: «Lei parla di guarire? Se pensa alla morte vedrà che il verbo guarire non può più avere il senso che lei gli attribuisce».

Ho annuito, stupito a mia volta che un giovane, di trent'anni minore di me, avesse riflettuto così proficuamente sul tema della guarigione. Comunque ho cambiato medico.

La sua frase mi ha per altro aiutato a capire che neanche dalla stupidità guariamo completamente. E sulla preghiera ho cambiato idea, come sulla guarigione. Forse preghiera e guarigione convergono, la preghiera è guarigione: non dal male, ma dalla disperazione. Perfino nel momento in cui si è soli, la preghiera spezza la solitudine del morente.

Ancora oggi mi mette in contatto con una voce

che risponde. Non so quale sia. Ma è più durevole e fonda della voce di chi la nega. Tante volte l'ho negata anch'io, per riscoprirla nei momenti più difficili. E non era un'eco.

Lo so che prega chi sopravvive e chi muore, chi vince e chi va incontro alla sconfitta. Ma ho rinunciato da tempo alla contabilità celeste, al bilancio del dare e dell'avere, alle aspettative fiscali del divino.

Mi accontenterò (mai verbo più malinconico e più lucido) di un ultimo appuntamento con la voce. Quando tutto mi mancherà, lei non mi mancherà.

Un disabile crede per compensazione. Questo almeno è ciò che credono gli altri. L'interpretazione, astuta e caritatevole, non manca di una sua coerenza. Se ci si rivolge all'Onnipotente quando se ne ha bisogno (la cosa accade anche nei rapporti tra gli uomini), chi, più del disabile, che vive nel bisogno di assistenza, ha bisogno di Lui? Questo confermerebbe tra l'altro che i miei rapporti con l'Onnipotente non sono poi così anomali rispetto alla media.

«Che fortuna!» dicono della fede di Paolo. «Altrimenti, nelle sue condizioni...» aggiungono i più sensibili, senza finire, per delicatezza, la frase. «Che aiuto formidabile!», commentano i più euforici. I più cinici, che si sentono anche i più lucidi, riprendono Voltaire: «Se non ci fosse, bisognerebbe inventarla». Non pensano a se stessi, pensano a lui. È l'utilità marginale dei disabili, come direbbe un economista del dolore sociale. Hanno una delega collettiva a soffrire per gli altri. E il loro carico si ingigantisce perché vi si occulta quello universale. La realtà però è lievemente diversa. Abituati a convivere con la minorazione – e a sopportarla –, i disabili non ne hanno l'immagine insopportabile di chi è sano. E la fede non è una fuga, ma una conquista.

I poveri avranno il regno dei cieli, non è un cambio sfavorevole. Chi ha il regno della terra, ovvero di una sua particella, non ha di che commiserarli, ma lo fa ogni volta. È l'aspetto grottesco di un rapporto dove chi commisera è il primo che dovrebbe essere commiserato. Guai però a dirglielo. Chi ostenta pietà non sospetta di ispirarla negli altri. È anzi il suo modo di esorcizzarla e di tenerla lontana. Mentre è la via più breve per meritarla.

So che Paolo ha una attrazione particolare per le cerimonie. Preferisce quelle festose, come battesimi, cresime e matrimoni, ma anche quelle funerarie lo riempiono di gratificata compunzione. Glielo ho fatto notare cercando di essere lieve e ironico, ma non ha gradito.

È bravo – mi riferiscono voci di quartiere – anche nelle *consolazioni* per la perdita di parenti e amici, un genere classico che sembra caduto in disuso. Lui invece impiega le risorse di un linguaggio lento e roco per dire parole che sembrano arrivare da lontano ed emozionano chi le ascolta. La cosa mi fa piacere e mi turba. Non vorrei ne sopravvalutassero la forza perché espressa dalla debolezza.

Decido di essere sincero con lui (ossia *ho bisogno di lui*) e gli confesso che resto, a queste notizie, sia contento sia sconcertato. Lui mi guarda, a sua volta, tra rassegnato e deluso. Mi dice con la sua voce affaticata:

«Sei stupito, vero?»

Una volta mi ha detto, con una gravità sorridente, una frase di assonanza evangelica:

«Non sei solo tu il maestro.»

Mi capita di ricorrere a lui come intermediario. Si vede che condivido, a mia insaputa, l'idea che la minorazione abbia un accesso speciale presso l'Onnipotente. E che l'Onnipotente sia a sua volta sensibile alle raccomandazioni. Sono talmente colpito dalla assurdità di questa prospettiva che cerco di difendermi pensando a quanti la condividono. Il risultato è soltanto che la ingigantisco di scala e che una assurdità collettiva getta la sua ombra (o la sua luce?) anche su di me.

Lui mi guarda e intuisce di quali percorsi tortuosi è frutto la mia richiesta. Mi risponde con una frase che forse ha sentito in chiesa o all'oratorio (nel giudicare obiettivamente i figli oscilliamo tra la megalomania compensatoria e la sottovalutazione apprensiva). Ha comunque il merito di farla sua al momento giusto, che è un modo in cui si manifesta l'originalità:

«Guarda che la preghiera non è magia.»

Abili e disabili

Paolo non ha – per usare un eufemismo temerario – un buon ricordo di un medico del Centro. Continua a detestarlo nella memoria, non solo perché pativa le sue ironie, ma perché era incapace di reagire. E una offesa diventa intollerabile, quando vi aggiungiamo la vergogna della nostra debolezza.

Capivo, dai suoi racconti, che restava paralizzato, come un insetto trafitto dal pungiglione di un ragno al centro della tela. A me era successo da giovane, durante il servizio militare, con un sottufficiale incolto quanto astuto, pusillanime quanto beffardo. Mai sarei riuscito a convincerlo del mio valore. È una lotta disperata quella che ingaggiamo con chi ce lo nega. Quanto più ci accaniamo, tanto più l'altro, intuendolo, ce lo negherà. E forse proprio lui vogliamo convincere, perché incarna il nemico invincibile, quello che coviamo dentro di noi.

Paolo non sapeva rispondere ai suoi sarcasmi,

quando veniva accusato, ad esempio, di preferire l'Oratorio al Centro.

«Ma era vero!» gli dico pacatamente, cercando di indurlo alla obiettività (in realtà ci piace, quando abbiamo ragione, esasperare gli altri, figli o genitori compresi).

«No!» esclama lui irruento. «Non faceva che prendermi in giro!»

Lo guardo incredulo. Lui esagera, con quel gusto della iperbole che sa come mi diverte:

«Era un delinquente! Tu devi fargliela pagare!»

«Ma scherzi o fai sul serio?» gli chiedo.

Non so se coltivi la maturità del gioco o la immaturità di una vendetta differita.

Lui mi guarda a sua volta, per capire se scherzo o faccio sul serio.

«Tutte e due le cose» risponde.

È sempre questa la sua scelta divinatoria, infantile e sapiente, sottile e semplice. Ha capito che la coesistenza dei contrari è l'accesso alla conoscenza e anche alla convivenza.

«Insomma, ti prendeva un po' in giro, che male c'è?»

«No, era perfido.»

Rimane serio finché mi vede sorridere.

«Era piccolo anche di testa» aggiunge, ingordo. Ogni colpo messo a segno deve essere per lui una conquista.

«Adesso esageri» dico. «Era un buon medico.»

«No!» risponde, con violenza euforica. «Era un nano!»

«Ma questo che cosa c'entra?» gli chiedo. «Adesso ti attacchi ai difetti fisici. Proprio tu fai queste discriminazioni?»

Mi guarda disorientato. Poi allarga le braccia, con quell'aria deprecatoria che assume in certi momenti:

«Ma andiamo!» esclama. «È normale!»

Viaggio a Creta

Perché vogliono calarlo dall'aereo in un ascensore mobile, che sulla pista incandescente, accecante, avanza come una torre romana fino ad arpionare con i ganci il portellone anteriore? Ho cercato invano di spiegare al pilota greco che Paolo, come alla partenza era salito sulla scaletta, così poteva scendere con noi.

«In Italia, forse!» mi aveva risposto, quasi alludesse a un paese esotico (forse non si sbagliava). «Ma non in Grecia!»

Così Paolo, con precedenza assoluta sugli altri passeggeri, scende lentamente in ascensore sulla pista di Hiràklion, nell'isola di Creta, come un dono del cielo che una macchina teatrale posa sulla scena. Immagino, più che il suo imbarazzo (che è nostro), il suo orgoglio. Se esagerano il suo handicap è meglio per lui che se lo sottovalutano. Quando esce dalla cabina, sorretto da una hostess molto compresa della parte, sorride contro il sole, facendosi schermo con la mano, e ci saluta senza vederci.

L'hotel, monumentale e babilonico (ma chi è mai stato a Babele?) si alza in cima a un pendio che digrada – con terrazze, ristoranti, piscine e piste da ballo – fino al mare. Sulla spiaggia lontana sono disseminate casematte turistiche, di confortevole assurdità.

«La nostra è l'ultima, in faccia alle onde» la indico con orgoglio dall'alto.

«Tu sei pazzo!» esclama Franca. «Perché ho lasciato decidere a te?»

«Qual è il problema?» le chiedo.

«Lui!» e addita Paolo, sorpreso, ma solidale comunque con la madre. «Come fa a percorrere tutta quella distanza?»

«C'è un tapis roulant!» rispondo.

L'ho letto nella guida e l'espressione fa effetto (non c'è paragone con scala mobile).

Franca si sporge dalla balconata dell'ingresso, cercando con lo sguardo, finché scorge, sul lato destro del pendio recintato, un gruppo di turisti in fila indiana, che salgono immobili lungo i cipressi, come sfiorassero l'erba nel crepuscolo dorato, i visi beati di divinità che ascendono al ristorante, nella luce sconfinata dell'Egeo.

Alla sera, sulla terrazza bianca, circolare, del ristorante, appeso nel buio a una corolla di lampade altissime, scende la voce di un altoparlante che rivolge, prima in inglese, poi in italiano, un brevissimo benvenuto a Paolo. Applausi discreti ai tavoli, alcuni commensali si volgono in giro, altri guardano nella nostra direzione.

Franca arrossisce, io poso il bicchiere, Paolo ha un soprassalto di gioia.

«Gentili, ti pare?» si riprende Franca.

«Sì» annuisco. «Basta che lo facciano con tutti.»

«Tutti chi?»

«Gli ospiti. Non so se lo fanno anche con gli altri ragazzi.»

«Ma che cosa ti importa?» esclama Franca.

Facciamo a gara nell'attribuirci, alternativamente, le frustrazioni che condividiamo.

«È una cosa simpatica» aggiunge. «Niente altro.»

Paolo inghiotte a fatica il boccone, temendo discussioni che conosce a memoria, come non manca di segnalarci. Ma io dico:

«Sono d'accordo» e gli stringo la mano sopra la tovaglia.

«Sei troppo diffidente» mi dice Franca alla fine della cena, quando ci spostiamo su un divano a dondolo, mentre Paolo viene accompagnato da un cameriere a guardare il mare notturno, gonfio, scintillante, immenso, dalla ringhiera della terrazza.

«Può darsi» ammetto. «Vedremo alla fine.»

La tentazione – irresistibilmente volgare, ma non per questo realistica – è sempre di pensare che ogni gentilezza entri nel costo del soggiorno, qui superiore al nostro reddito, ma non al nostro bisogno. Invece mi ricrederò. Paolo dapprima respinge, poi attira. Ha imparato – per talento naturale e per esperienza – che dagli altri bisogna farsi perdonare non solo i nostri beni, ma i nostri mali. Perciò guarda con fiducia gli altri, sapendo che è il primo modo di suscitarla. Lui prova sempre quello che io provo soltanto negli stati di grazia: simpatia per il mondo. E il mondo lo ricambia. Alla fine della nostra settimana era diventato il beniamino di quella comunità eterogenea, unita dalla contiguità più provvisoria, la vicinanza, e dalla motivazione più patetica, l'obbligo di divertirsi. Era diventato un compagno ricercato, come se anche l'handicap fosse una vacanza, nella vacanza generale.

In altre vacanze, invece, l'handicap suscita ostilità, per non dire avversione. Dipende da una serie di fattori – tutti comprensibili anche se non encomiabili – quali la sgradevolezza della minorazione, il costo del soggiorno, la pressione atmosferica, gli umori stagionali, le tradizioni locali, i gruppi di opinione, l'educazione dei singoli, la fede e l'ideologia, la cultura (non ci farei troppo assegnamento). La civiltà può molto, ma non basta. L'uomo che accoglie può essere – in altro tempo e in altro luogo – l'uomo che respinge. Chi vive l'handicap questo lo conosce. E anche chi non lo vive.

La grotta dove è nato Zeus, sul monte Ida, è una voragine che ha divorato la terra in diagonale. L'apertura che si intravede dal basso, quando vi si è penetrati, diventa un buco luminoso e celeste, ostruito dai rovi e sorvolato dai falchi. Il fondo è una serie di antri bui, acquitrinosi, segnati dal passaggio dei visitatori e dai resti delle offerte.

Paolo si è appoggiato con le mani contro un macigno muschioso e non si muove. Girando con me ha imparato, più che la pazienza, la rassegnazione.

«Non muoverti!» gli dico. «Adesso ti aiuto.»

Stacco delicatamente le sue dita aggrappate alla pietra e lo aiuto a varcare un rigagnolo nero. Ho un brivido pensando alla incoscienza di essere sceso con lui, scivolando sulla scarpata, per poi risalire (non so come) verso la liberazione.

Franca si è rifiutata di seguirci.

Paolo mi chiede:

«Dove stava la capra Amaltea?»

«Qui» rispondo, indicandogli una nicchia stillante nella roccia.

Gli ho raccontato che i Cretesi erano tutti mentitori e mento subito anch'io, in onore dell'isola.

Gli ho anche raccontato che mostravano, oltre alla grotta dove il dio era nato, anche il luogo dove era morto.

«E la tomba?» mi chiede.

«No, quella non si è mai trovata.»

Questa volta non mento.

Al ritorno improvvisamente, sull'altipiano punteggiato di mulini, un edificio abbandonato, i serramenti arrugginiti, già in rovina. Mi colpisce, nel vento silenzioso del tardo pomeriggio, l'insegna al neon sopra il tetto: Hotel Zeus.

«Qual è la strada per Lato?» chiedo in albergo.

«Le consiglio di non andarci con l'automobile» mi risponde in italiano il portiere.

«E come ci si arriva?»

«Con un tassista del posto. Altrimenti lei rovina la macchina.»

«Io direi di rinunciare» interviene Franca.

Il portiere la guarda con un balenio di intesa negli occhi.

«E perché mai?» chiedo.

«La signora ha ragione» risponde il portiere, continuando a guardarla. «Ci sono solo rovine. La strada stessa è una rovina.»

Siamo sulla strada di Lato, con un tassista che ci porta, a sobbalzi, come sul greto di un torrente. Spiazzi sabbiosi, macigni, tratti di ghiaia, sterrato polveroso. Paolo è esultante, Franca invece mi chiede:

«Ma che cosa ha di speciale Lato?»

«Due acropoli in montagna.»

Eccole, nell'azzurro e verde in alto, ma l'automobile si arresta in una piazzuola incassata a metà della valle, sotto muraglie di sassi.

«Vi aspetto qui» ci dice l'autista con un mezzo sorriso, di commiserazione e di sfida, indicando un sentiero scosceso, che si inerpica sul costone brullo.

Aiuto Paolo ad avanzare tra pietre e rovi, procediamo tutti e due curvi e contorti sotto il sole cocente.

«Proviamo la scorciatoia» gli indico gradini scavati nella muraglia.

Guai alle scorciatoie (e non solo in montagna), soprattutto se si vuole risparmiare la fatica. Qui la fatica si moltiplica, la scala si trasforma in una cascata di massi, sospingo Paolo con la mano destra, ma non può proseguire. Non può neanche scendere, è rimasto inchiodato alla muraglia, a gambe e braccia larghe contro la parete. Mi lascio scivolare in un rotolio di sassi fino al sentiero, dove Franca si limita a congiungere le mani in un gesto non so se di deprecazione o di preghiera. Risalgo verso Paolo. Che cosa faccio, chi sono, in questo calore abbacinante, alle quattro del pomeriggio, mentre respiro affannato contro le fessure di questa fortificazione arcaica? Mai abbiamo sensazioni di assurdità come nei momenti di pericolo. Forse perché ci richiamano al nostro destino.

Riesco, scorticandomi le braccia, tra rivoli di sudore sul viso, ad afferrare Paolo per i piedi. Gli grido:

«Lasciati andare!»

Ma lui non si fida.

Quando riesco a calarlo, passandolo a Franca che protende le braccia, penso non so perché alla deposizione dalla croce. Lui è stanco, ma sorride. Mentre si riposa a terra, afflosciato, mormora:

«Lo racconterò ad Alfredo.»

Franca, sdraiata, a braccia aperte, commenta:

«Fra tre giorni lo rivedi a casa.»

Creta lucente, al tramonto, le foglie degli alberi, le vigne sui declivi, l'automobile che avanza tra i muretti, lasciata in alto la strada minoica, che attraversa le montagne dell'isola. Qui il mare a poca distanza, il sole sull'orizzonte, una pace improvvisa, il silenzio, le rovine nella campagna.

«Fermiamoci» dico a Franca, che guida.

Ma è già passato.

Sosta in una locanda sul mare, il sole tra le canne del pergolato, una insalata alla greca, gigantesca, colorata, rinfrescante. Franca ha ordinato formaggio piccante, Paolo pesce alla brace.

Io dico:

«Cibo omerico.»

La cosa fa meno effetto che due giorni fa, quando l'avevo detta all'Hotel dei Cureti, di fronte all'Ida e a un piatto di montone arrosto. Mai ripetersi, non notano più l'originalità, notano che ti ripeti.

Guardo le onde che si rovesciano sulla spiaggetta in basso, tra gli scogli. Alcuni ragazzi abbrustoliti dal sole guizzano sulle creste, agitando le braccia.

«E se facessimo un bagno?» mi rivolgo a Paolo con un sorriso, eludendo Franca. La sento dire:

«Adesso basta.»

Guardo anche lei. Non sa più che cosa pensare.

Io so che cosa pensare. È generosa e indomita. A reggere due carichi simili, non so quale più pesante, se Paolo o io. Le poso un attimo la mano sulla spalla. Lei intuisce a che cosa sto pensando. Sorrido, gli occhi lucidi. Alzo il bicchiere di vino bianco resinato:

«A Franca» dico.

Paolo, stupito che non abbia detto la mamma, alza il suo.

Il bagno lo facciamo di notte, sotto le stelle, davanti alla nostra casamatta, nell'acqua salata e calda. Paolo ha imparato, dopo anni, a nuotare a rana, inspira profondamente e tuffa la testa nelle onde. Le spalle riemergono dalla superficie luccicante, sembri un delfino gli dico, e lui si impegna fino all'esaurimento delle forze, come facevo io da bambino se qualcuno mi guardava. Si rovescia sul dorso, ansimando, il viso in alto.

«Ritornate!» ci grida Franca dalla riva.

Davanti al Museo di Hiràklion, addossate al muro, nei colori luminosi e forti del pomeriggio, una fila di carrozzelle.

Paolo me le indica:

«Non vuoi prendermene una?»

Lo guardo, deluso:

«Ma puoi farne a meno!» gli dico. «Perché la vuoi?»

«Perché faccio meno fatica» mi risponde.

Mettersi nei suoi panni

Bertoia, che mi fa visita, è un pensionato malato. Non ho ancora capito che male abbia, è reticente e allusivo, inarca sopracciglia minacciose su occhi lievemente strabici. Si sottopone a terapie contraddittorie che hanno deformato il suo corpo. È allampanato e fragile, rivedo in lui il Don Chisciotte non di Cervantes, ma di Doré, una gravure che cammina nel mio studio, un groviglio di linee in attesa di decomporsi.

«Ha mai provato a mettersi nei panni di suo figlio» mi dice a un certo punto.

È una domanda o una accusa?

«Cerco di immaginare le sue reazioni» rispondo.

«No!» grida, alzando il dito.

È una accusa.

«Lei deve fare di più!» continua, fissando il vuoto, le occhiaie arrossate. «Deve entrare nella sua testa!»

«Ma non posso!» esclamo.

«Come non può?» reagisce cupo, curvandosi come dovesse difendersi da un aggressore. Invece è lui che aggredisce: «L'ho fatto io!».

Mi appoggio sgomento allo schienale della poltrona. Ma perché viene a trovarmi nella seconda metà di luglio, alle cinque del pomeriggio, nel momento agognato in cui avevo cominciato a leggere un libro di Verne progettato da mesi per la vacanza in città, *Cinque settimane in pallone*, dopo gli esami di maturità? Chi lo autorizza? Si è sempre sentito mio protettore, è l'ex ragioniere del mio Istituto, un religioso della contabilità, un cultore degli orari, un maniaco a uno stadio quasi mistico.

«Io ho pensato spesso a suo figlio» riprende «e sono entrato nella sua testa.»

Lo sguardo è allucinato, non so se la malattia o le medicine lo stiano rendendo febbrile.

«Lo faccia anche lei» aggiunge. «Vedrà come lo capisce.»

Capisco che la proposta è mostruosa, ma ci provo. Chi ci resta ormai da ascoltare se non i pazzi?

Provo a pensare "Io sono Paolo", ma ho una sensazione di terrore e di vertigine, io non ho il suo passato né il suo futuro, non posso immaginare quello che lui immagina, né condividere niente di ciò che vive. Non possiamo mai, come si dice con una espressione temeraria e orrida, entrare nel cervello di un altro.

«È impossibile mettersi nei suoi panni» gli dico.

Lui allunga le braccia ossute sulla poltrona, sollevando fieramente il viso scavato:

«E allora un attore?»

«Lo fa per gioco» rispondo. «Non è né se stesso né l'altro.»

Continua a guardare impettito davanti a sé:

«Posso dirle quello che penso?»

«Naturalmente.»

Quando lo chiedono è perché pensano male.

«Lei è chiuso nel suo egoismo» dice rauco.

«Può essere» gli rispondo, non elusivo, ma preciso.

Ha l'aria terribile dei vecchi che, quando vaticinano, non predicono che sventure. Anche Cassandra forse non aveva scelta, prediceva semplicemente il futuro.

«Esca da se stesso» mi dice «ed entri nella testa di Paolo.»

«No, resto nella mia» gli rispondo. «Anche lui preferisce così, mi creda.»

Stringe i braccioli della poltrona, come un monarca a teatro.

«Mai allora» alza il dito scarno, «lei saprà chi è suo figlio!»

«Infatti non lo so» rifletto.

Rimproveri

Ha perso sul treno, durante una gita con i suoi compagni, una macchina fotografica costosa, la prima volta che gliela avevo affidata. Lui riesce a fare fotografie abbastanza curiose, fermando non tanto l'attimo fuggente, quanto il punto precario di equilibrio tra l'occhio che si socchiude a fatica e il corpo pericolante. Così le sue fotografie, spesso sghembe, con sciabolate di luce diagonale, comunicano un senso mobile e avventuroso dell'esistenza: il contrario di quell'universo in posa che perseguiva il fotografo ufficiale della classe, nelle scuole della mia gioventù.

Lo rimprovero in modo concentrato, ma rapido. Credo che la rapidità, nei rimproveri, sia un aspetto apprezzato. L'impopolarità delle prediche, in ogni campo, è dovuta, più che alla presenza di accuse, alla loro prolissità. Era un convincimento superstizioso dei genitori, nel paleolitico recente, che litanie di parole producessero opere. «Le bugie non vanno dette mai! Hai capito? In nessun caso!» ripetevano padri stralunati dalla bugia che stavano dicendo. Per gridare immediatamente dopo, se suonava il telefono: «Io non ci sono per nessuno! Avete capito?».

Poi è subentrata l'epoca in cui la psicanalisi mondana trasformava i figli in giocattoli di cui programmare graziosamente le mosse. «Lui ha sfasciato il motorino e si aspetta la punizione» mi aveva confessato un giovane collega, a cui la paternità sembrava una opportunità meravigliosa di strategie pedagogiche. «E io, senza punirlo» aggiungeva, «gliene regalo subito un altro. Lo sorprendo, capisci? Lo disoriento. E così lo educo.»

Il figlio era stato effettivamente disorientato. Quanto alla sua educazione, non ne ho seguito le tappe. So che è stato, tra i coetanei, il più precoce a drogarsi, ma non voglio stabilire un rapporto di causa ed effetto. È certo che un bilancio, dopo l'incidente, non poteva essere per lui troppo confortante: un padre debole non lo reputava all'altezza neanche di un rimprovero.

Paolo mi ascolta. L'ho trattato seriamente. Lui è affamato di serietà, quasi mai si diverte quando io mi diverto con lui. Io lo so, ma continuo a divertirmi ricorrendo, quando lo scherzo non è riuscito, all'alibi idiota: «Ma l'ho fatto per scherzo!».

Questa volta gli dico: «Hai sbagliato e rimarrai

senza macchina fotografica per un po' di mesi».
Lui commenta: «Grazie per avermi parlato da uomo a uomo».

L'ho raccontato al mio collega. Mi ha risposto:
«I figli disabili sono più maturi.»

L'elettroencefalogramma

Ecco un'altra parola che mi gettava nel panico. La associavo, fraintendendola, ad alterazioni del cervello, minorazioni della mente, perdita del pensiero. Un tracciato avrebbe rivelato che cosa non funzionava nella sua testa. E mi stupiva l'indifferenza di fronte a una parola che per me significava una crepa nella sua libertà (quando parliamo di libertà diventiamo tutti studiosi di diritto alle prese con definizioni intangibili).

Se considero come si è trasformato negli anni quel terrore, lo potrei compendiare in una sintesi: abitudine alle crepe. Ricordo una imprecazione nei libri di avventure di Salgari, "Vecchia carcassa!", rivolta indifferentemente a se stessi o alla barca che affondava. E mi sembra un antidoto piratesco a quel culto del corpo, tra diete salutistiche e regimi ormonali, che vorrebbe trasformare la metamorfosi dell'organismo nella immutabilità di una farfalla.

Che da giovani la prospettiva dell'handicap sconcerti è un tributo alla crescita. L'eternità dura fino ai quarant'anni e le ambizioni si lasciano sobriamente ridurre a una parola: tutto. Procedendo negli anni, c'è chi regredisce a inseguire una gioventù retrospettiva, i più euforici ci provano, i più stupidi ci riescono. Ma l'handicap diventa nel frattempo un congiunto, una esperienza familiare, si incarna in modo visibile negli altri, prima di insediarsi in noi stessi. Le piccole dimenticanze che ci perdoniamo diventano i crateri spenti della memoria che non perdoniamo ai vecchi cioè al nostro futuro. La sfida fine a se stessa (ovvero l'imperativo alla moda) di superare i limiti nasce dalla paura di accettarli. E mai come nella nostra epoca l'oltrepassamento dei confini è la fuga dal loro riconoscimento.

Quando penso ai problemi che mi ponevo sulla intelligenza di Paolo, penso a quelli che avrei dovuto pormi sulla mia. E se mi guardo intorno, non trovo molti esempi confortanti. Le poche frasi geniali le isoliamo, scandiscono le tappe della nostra vita, diventano memorabili. Quelle idiote sono schiacciate da una concorrenza travolgente, che non migliora la qualità. Può darsi che gli elettroencefalogrammi siano normali, ma la cosa passa in secondo piano rispetto a lati più inquietanti. L'handicap, mentale o fisico, è più capillare di quanto appaia: e il limite è più vicino alla nostra condizione che il suo superamento.

L'elettroencefalogramma ha smesso di farmi paura, insieme con i test della intelligenza (perché non i test della stupidità come epidemia planetaria?). Penso che dovremmo misurarla meno, troppi rischi per ciascuno. Proporrei più delicatezza con l'handicap, più riguardo. Ci ricambierà.

Spazzatura

Ha parlato alla assemblea degli studenti. L'ho saputo da una collega, amica di un insegnante in quell'Istituto.

«E come è andata?» chiedo, apparentemente tranquillo.

«Bene!» mi risponde lei, altrettanto tranquilla. «Ha detto le sue ragioni.»

«Non sai che cosa ha detto?» le chiedo.

«Non lo so con precisione» mi ha risposto. «Però il nocciolo del suo discorso era questo. O ci facciamo trattare da persone mature o ci facciamo trattare da bambini.»

Riconosco la struttura binaria delle sue argomentazioni.

Alla sera gli dico:

«So che hai parlato alla assemblea.»

«Sì» mi risponde.

«E come è andata?»

«Tutto bene.»

È una sua formula laconica quanto esauriente.

«Problemi con la voce?»

«C'era il microfono.»

«Ma» gli dico fissandolo negli occhi, per vincere l'esitazione, «con tutti i problemi che hai nel parlare, non hai avuto paura?»

Mi guarda soddisfatto che glielo abbia chiesto.

«Sai» mi risponde lentamente, l'aria complice ed esperta. In questi momenti è irresistibile. «Ho pensato: i casi sono due. O mi trattano come spazzatura o mi lasciano parlare.»

«E loro?»

«Mi hanno lasciato parlare.»

La recita

Recita annuale dei disabili nell'oratorio di Paolo.

«Secondo te posso non venire?» chiedo a Franca con disinvoltura disperata.

«Ma certo!» mi risponde lei, noncurante.

«Come?» la guardo riconoscente.

«È il terzo anno che recita e non l'hai mai visto.» Ostenta una serietà neutrale. «Puoi continuare così.»

«Lui come è rimasto?» le chiedo.

«Malissimo.»

«Te l'ha detto lui?» insisto.

«No, lo sai che è orgoglioso. Mi ha chiesto solo se quest'anno venivi.»

«E tu?»

Perché faccio domande? Mai fare domande.

«Non so, gli ho detto. Lo sai come è fatto il papà.»

«E come è fatto?» le chiedo.

«Malissimo» risponde lei, come se rispondesse a Paolo.

Mi sto arrendendo.

«Qual è il titolo della recita?»

«Ulisse.»

«Di Joyce?»

«No, di Omero.»

Mi sono arreso.

Eccomi in questa sala disadorna, cosparsa di sedie metalliche che accerchiano un palcoscenico di legno. Dietro un tendone nero, che scorre con gli anelli lungo un bastone orizzontale, si irradia un chiarore intenso. Fari mobili proiettano sul soffitto di cemento luci colorate che si intersecano.

«Sembra un rifugio antiaereo» dico a Franca, che però, per età, non condivide il ricordo e, per tendenza, il paragone. Si guarda intorno nella sala gremita di visi accaldati, c'è una atmosfera festosa, una massa calda, accogliente, che applaude ogni tanto per sollecitare lo spettacolo, ma lo fa con una distrazione benevola e complice. Lo spettacolo in effetti è già cominciato, lo si sta vivendo in platea, in questo incontro di parenti disperati, sorridenti, rassegnati, allegri, seri. Un ragazzo Down sporge la testa da una estremità del tendone, guarda la sala, ride, si ritrae. Subentra una ragazza, anche lei scappa, si sente un trapestio, accompagnato da grida, sulle assi del palcoscenico. Mi balenano recite della mia infanzia, quando il palcoscenico non era quello dove pronunciavamo battute memorabili, ma la platea punteggiata di pupille e di luci. Per noi il teatro era il pubblico, verso il quale strabuzzavamo gli occhi in gesti per noi comicissimi. Mai ho sentito il teatro come allora, quando la linea che divideva gli attori dal pubblico appariva aperta nei due sensi. Eppure rimaneva invalicabile, una magia che ci soggiogava e stregava.

Cerco di trattenere la commozione, Franca mi chiede:

«Ti piace?»

«Sì, molto» rispondo.

Apro una breve parentesi che ha come oggetto il male.

Noi siamo abituati al male. Il male conferma la nostra superiorità o conforta la nostra debolezza. Ci è così familiare che il bene ci sconcerta e cerchiamo di ridurlo al male, commutandolo di segno e assimilandolo ai modelli negativi che ci sono noti.

L'ho osservato nelle reazioni più comuni, compresa la mia, di fronte al volontariato. La tendenza è di interpretare l'altruismo come controfigura dell'egoismo, la generosità come gratificazione di chi la esercita, la solidarietà come aiuto provvidenziale a se stessi, il sacrificio dell'Io come ricatto di un Super-io tirannico. Non si impara neppure dalla etologia, saccheggiata per spiegare l'aggressività, ma mai il suo contrario. Gli animali che si sacrificano per la prole o per gli altri sono anche loro vittime di un Super-io? No, dell'istinto, risponde l'etologia. Ma all'uomo si nega questo istinto positivo, per dotarlo invece di tutti gli altri.

Il male – contrariamente a quanto si pensa – è rassicurante, lo veneriamo nei mostri, giustifica le vendette, mobilita le difese, rafforza la durezza del cuore. Il bene è un esempio inimitabile (vogliamo confrontarlo con il male?), supera fossati e mura che approntiamo contro il nemico, elude gli infiniti cavilli della intelligenza, disorienta l'astuzia perché la ignora, è disarmato e semplice. Il male ci incuriosisce e ci eccita, stimola l'investigazione, si cela nell'ultima stanza, quella del segreto infame. Il bene apre le porte, non nasconde nulla, si apparta solamente per non farsi notare. Il male promette misteri, il bene è un mistero luminoso, una presenza inaccettabile.

Sto parlando con cognizione di causa, ma sono in buona – o almeno numerosa – compagnia. Per molti uomini nulla è più edificante che la distruzione e nulla più ripugnante che la edificazione. Che le ideologie abbiano nel nostro secolo generato stermini non è perché additavano un paradiso remoto, ma perché prima dovevano realizzare un inferno immediato. Certo è più confortante – e soprattutto etico – capovolgere le gerarchie. È un alibi di cui tutto si può dire tranne che non se ne sia approfittato.

Sto esagerando? Ma solo le esagerazioni ci restituiscono, nella caricatura, l'immagine in cui riconosciamo l'originale.

Ho sempre immaginato il volontariato – senza conoscerlo, naturalmente, solo la non-conoscenza favorisce la certezza – un punto di intersezione tra la vocazione mancata e la consolazione di sé. Finché ho conosciuto amici e amiche di Paolo. Questi giovani che lo accompagnano nelle pizzerie, nei cinema, nei negozi di dischi usati, dove acquista, a prezzo di amatore, canzoni e canti popolari di altri tempi (chi salverà le tradizioni se non i giovani, i migliori, si intende?), sono gentili, misurati, discreti. In cambio non si aspettano nulla. Non si aspettano doni né ringraziamenti. E danno non solo un aiuto, ma ciò di cui gli uomini hanno più bisogno quando non la sentono mai, la simpatia.

Paolo passa le vacanze con noi, ma non le considera vacanze. Non ho ancora capito come le consideri e non intendo approfondire. Immagino che abbia solide ragioni. Quando ancora gli si dice, dopo quindici anni di ingiunzioni, «Cammina dritto!», che cosa gli si comunica? Un ordine, un richiamo, una esortazione, un alibi per continuare noi a sperare, una delusione, un rimprovero, una punizione? Spesso ho notato nel suo sguardo qualcosa di diverso dalla insofferenza, una atroce noia dissimulata dalla pazienza. Se finalmente in vacanza si diverte con il suo gruppo di volontari, dove lo accettano con allegria, senza volerlo cambiare, dobbiamo chiederci il perché? L'imperativo occulto dell'educatore, secondo Droysen, viene compendiato da poche, silenziose, concilianti parole: "Tu devi essere come io ti voglio, perché solo così io posso avere un rapporto con te". C'è da stupirsi che Paolo sia felice quando non viene più educato?

L'aiuto agli indigenti, ai malati, ai carcerati è stato il comportamento che, alle origini, ha turbato milioni di pagani. Oggi che viene esercitato anche dai laici (ma che cosa c'è di laico nella religione dell'uomo?), si tende, più che a farne un modello, ad approfittarne.

Nel male, fingendo di non riconoscerlo, ci si rispecchia, nel bene un po' meno. Per un narratore il male è la salvezza, il bene la perdizione. L'elogio del bene ha inquietato perfino il sonno dei classici ed è stato l'incubo della loro veglia. Manzoni, per farselo perdonare, ricorre alla ironia, Cervantes alla follia, Dickens alla stupidità, Dostoevskij alla idiozia, Melville alla innocenza. Solo Hugo non esita a edificare al bene una cattedrale, ma a lui, ahimè, si perdona tutto.

Parlare bene del bene è imperdonabile. Infatti non me lo perdono. Ma dovevo pagare di persona l'impagabile aiuto di parenti, amici e sconosciuti.

Si apre nel brusio il sipario: il tendone scorre sul bastone di ferro finché il ragazzo che lo sospinge piomba contro il palo che lo sorregge. Una risata, quasi una ovazione, si alza dalla platea dei disabili e dei loro parenti. Non so se la regia – il responsabile figurava nella locandina con nome e cognome

– l'avesse previsto. Certo non poteva cominciare meglio. Il resto è peggio.

Dire che è capitato tutto è dire solo una parte. Ulisse, gigantesco, le gambe ispide sotto il gonnellino bianco, sembrava uno scozzese in sandali sceso in Asia Minore. Calipso piangeva sul cocuzzolo di un'isola, tra onde di legno che scivolavano come in un cartone animato. Telemaco era l'unico non disabile presente sulla scena, ma non si notava la differenza. Studente di farmacia, mi aveva informato Franca, rivolgeva ad Atena frasi che non si capiva, tanta la chiarezza della intonazione, se erano domande o risposte. Di Paolo avevano sfruttato la voce cavernosa, per trasformarlo in un Polifemo laconico. Confesso che il suo dialogo con Ulisse-Nessuno aveva acquistato strane suggestioni, tra levantine e metafisiche, ma forse ero stato tradito dalla emozione.

Pezzi forti della regia erano Nausicaa, tutta vestita di bianco in riva al mare (la figlia Down di un avvocato seduto, gli occhi spiritati, in prima fila) e il banchetto dei Proci, con le loro compagne che attingevano senza risparmio da boccali di aranciata e addentavano panini farciti. Ho sempre provato insofferenza nel vedere gli attori mangiare: sia perché non partecipo alla loro occupazione, sia perché mangiano – come si dice con una metafora precisa – in punta di forchetta, triturando a bocca ermeticamente chiusa porzioni microscopiche. E non finiscono mai, educati, sensibili, impettiti. Bene, era un particolare ignoto alla recita. Restava invece inappagata l'invidia per una voracità famelica che gli attori non avevano ritegno a mostrare, ridendo con il pubblico mentre inghiottivano fette di torta o divoravano pezzi di cioccolato. Solo Penelope, ricoperta da un saio marrone (forse simbolo della fedeltà coniugale), conservava per tutto lo spettacolo una austerità straniante, degna di Jonesco.

L'ovazione meritata, entusiasta, riconoscente, alla fine premia tutti, attori e pubblico. L'unanimità, sogno infantile a occhi aperti, intramontabile utopia di chi non cresce, diventa qui un Eden malinconico.

Aspettiamo che Paolo esca dal tendone. Finalmente appare trionfale in cima alla scaletta, scende, sudato e rapito, i primi gradini, rifiutando con un gesto perentorio mani soccorrevoli, e scivola sugli ultimi due precipitando in avanti. Per fortuna eravamo ad aspettarlo in fondo alla scaletta, come ai genitori piace e ai figli no. E lui si è salvato tra gli ultimi applausi del pubblico, colpito questa volta dalla realtà.

Convivio

Mio suocero ha ottantotto anni. Cultore, per tutta la vita, del corpo, sta diventando disabile nella mente. «No, non è Alzheimer» ci ha detto il gerontologo illustre cui ci siamo rivolti per una visita di controllo, debitamente dissimulata come visita generale. Ha aggiunto: «Non è neanche demenza senile». «E che cosa è?» ha chiesto Franca. Il gerontologo l'ha guardata con un sorriso sornione: «È vecchiaia, signora» ha detto.

È caratteristica dei gerontologi migliori – quando invecchiano, appunto – sostituire il gergo armato della gioventù con un linguaggio indifeso. Il passo ulteriore è affermare la propria inutilità. Franca però non ci stava:

«Sì, ma perché è peggiorato di colpo?»

«Perché è nella fase discendente della parabola» ha risposto il gerontologo, tracciando con il dito un arco sopra la scrivania e indicando il tratto minimo che lo divideva da un numero del "National Geographic".

«Ma perché proprio il cervello?» ha insistito Franca. «Sua madre» mi ha indicato con una certa insofferenza, «che era maggiore di mio padre, è morta lucidissima.»

«Signora, tutto è scritto nei geni» ha risposto solenne il clinico, tra l'astrologo e il burocrate. «Il cervello di suo padre invecchia più di altre parti del corpo. Non c'è nulla di strano.»

Franca lo ascoltava sgomenta, quasi impaurita:

«Lei gli ha fatto radiografie e Tac» ha cercato di riprendersi. «E che cosa ha visto? Che cosa sta succedendo nel suo cervello?»

«Si calmi, signora» le ha risposto il gerontologo. «Sono processi tutt'altro che infrequenti e il suo caso non direi che rientra in quelli precoci.»

«Ma che cosa ha visto?» ha ripetuto Franca.

«Una atrofia della corteccia cerebrale, con approfondimento dei solchi e dilatazione dei ventricoli» ha risposto il clinico, cedendo finalmente a una freddezza professionale.

Ha stretto la destra in un pugno:

«Ha presente una spugna? Ci sono zone che diventano spugnose. Collegamenti interrotti, parti perdute.»

«Ma è terribile!» ha mormorato Franca.

«No, signora, non deve parlare così» le ha risposto il gerontologo. «Ci sono mali peggiori che intaccano il cervello, con conseguenze devastanti.»

Franca lo fissava ancora più prostrata.

«Questi sintomi, è inutile illudersi, non recedono» ha continuato il gerontologo. «Possiamo però rallentare il processo involutivo. Certo richiedono vigilanza, ma non una assistenza vera e propria. Suo padre può condurre una vita quasi normale.»

«Fino a quando?» ha esclamato Franca arrossendo. «Già oggi non è più lui!»

«Purtroppo è una eventualità che dobbiamo mettere in conto» le aveva detto il gerontologo con voce grave. «Spesso i genitori, invecchiando, diventano ciò che da bambini eravamo noi per loro. Esseri indifesi, da curare. Lei sta diventando la madre di suo padre. Deve essere all'altezza.»

Aveva alzato lo sguardo per valutare l'effetto delle sue parole e l'aveva subito riabbassato. Franca, che aveva sempre visto in suo padre un punto di riferimento (come si dice nella logistica delle mitologie personali), non si rassegnava all'idea di diventarlo lei.

«Mi permetta piuttosto di darle qualche consiglio, insieme a qualche pillolina che le prescriverò.» Il gerontologo aveva indicato un blocco di ricette dentro un cubo cavo di cristallo. «Lo contraddica il meno possibile, faccia questo sforzo.»

«D'accordo, lo farò» aveva annuito Franca.

«E non gli dica neanche che si contraddice, perché questo aumenta il suo panico. Lo assecondi, gli dia ragione, è il male minore.»

«Ma se si irrita perché non vado a trovarlo mentre l'ho fatto due ore prima?»

«Non gli badi, perda anche lei la memoria» aveva risposto il gerontologo. «Vedrà come le farà bene. L'oblio è una riserva formidabile.»

Si era rivolto anche a me.

«Senza oblio non sopravvivremmo» aveva continuato. «Gli lasci spazio, mi creda.»

«Ma i nomi?» aveva chiesto Franca. «Quando si fissa sui nomi?»

«Già, i nomi!» Il gerontologo aveva allargato le braccia, come se usasse indulgenza a un vecchio amico. «Glieli lasci cercare. A lei non capita?»

«Che cosa?»

«Di dimenticare i nomi propri.»

«Sì, certo.»

«Eppure è giovane. Noi la chiamiamo smemoratezza benigna, comincia dopo i quarant'anni. In lui invece il fenomeno cambia aspetto, fino a invadere l'area dei nomi comuni.»

Aveva aggiunto:

«È tipico.» L'aggettivo gli procurava un piacere particolare. «Noi la chiamiamo anomia.»

«Sì, ma per lui è una tragedia» aveva detto Franca.

La tragedia si era manifestata dapprima – è una evoluzione non rara – come una commedia. Tutti dimentichiamo i nomi, ma il primo segnale che manda chi sta invecchiando non è che li dimentica, è che cerca di ricordarli. Un altro segnale è che coinvolge, in questa ricerca incessante, anche chi gli è vicino, per fare debiti quanto dissimulati confronti. «Come si chiama?» è l'interrogativo statisticamente più frequente che pone ai suoi interlocutori. È anche il meno interessante, perché riguarda un bisogno solo suo. Ma lui ne è attratto inesorabilmente e alla fine riesce ad apparire quello che più paventa, uno smemorato.

Apro una piccola parentesi didattica. Chiunque abbia una minima pratica di insegnamento sa che lo studente agli esami si pone domande che nessuno gli ha posto. E cerca vanamente le risposte, gettando nell'imbarazzo l'insegnante che voleva salvarlo. Se gli si chiede di commentare una poesia, non si pretende da lui la data e il luogo di composizione, né la persona cui eventualmente sia dedicata. Ma lo studente riconosce da lontano i dati che non conosce e subito vi si aggrappa, confessando di non ricordarli.

Ho sempre consigliato ai miei studenti di non rispondere mai con un *no* franco (siamo pur sempre in Italia!) a domande indiscrete circa la conoscenza di un argomento. E ancora meno di ammettere eroicamente la propria ignoranza, ma sempre di differirne la rivelazione. Solo i peggiori però mi ascoltavano, prostrando con tattiche temporeggiatrici la curiosità invadente dell'esaminatore. I migliori non reggevano alla sfida e denunciavano irrevocabilmente i vuoti della preparazione, cedendo al ricatto congiunto della lealtà, della colpa e della punizione. Una intersezione irresistibile che spiega come la volontà sacrificale non riguardasse nell'antichità solo i sacerdoti e i fedeli, ma anche le vittime. Un circuito solidale che ancora oggi si rinnova.

Mio suocero aveva cominciato con sondaggi mnemonici, che riuscivano fastidiosi quanto ingiustificati. Si accaniva soprattutto su date, luoghi, nomi, soprannomi e titoli, che gli interlocutori spesso ignoravano. Il gioco impari consacrava un vincitore sconfitto, consapevole che l'ignoranza degli altri non compensava le sue amnesie. Finché a poco a poco le parti hanno cominciato a invertirsi.

Mia suocera, ad esempio, si prendeva insperate rivincite sull'uomo che per cinquant'anni le aveva imposto un giogo autoritario (*coniugium*, "tutti e due sotto lo stesso giogo", è parola coniata dai latini, che in materia di gioghi, di coniugi e di autorità non mancavano di competenza). L'uomo che sottoponeva gli altri a esami fuori curricolo e irrideva ai deficit della memoria quando lei dimenticava il nome del Tasso (Torquato! le gridava alla fine e lei trascriveva la parola sul cruciverba), era lo stesso che non ricordava il nome dell'uva. «Quelle cose rosse, piccole, che si mangiano in autunno» cominciava ad annaspare. «Le bacche!» rispondeva mia suocera. «Macché bacche!» ribatteva lui impaziente (nessuno è così intollerante con chi non indovina come chi non ricorda). «Le more!» provava mia suocera, che cominciava a divertirsi. «Ma come le more!» gridava mio suocero, lamentoso: «Le more in estate?». «Certo, in estate» ribatteva mia suocera, seria e sfrontata. E aggiungeva con calma: «Ci sono sia d'estate sia d'autunno». «Non sono le more!» si disperava mio suocero. Precisava: «Si schiacciano per fare una bevanda». «Le arance!» esclamava mia suocera, gettando nell'asta un nome sbagliato per impedire che si aggiudicasse quello giusto. Sono certo che lei lo negherebbe quanto sicuro che lei lo voleva, almeno inconsapevolmente (non neghiamole un alibi che ormai non si nega a nessuno).

Mio suocero desisteva umiliato, gli occhi nel vuoto. Continuava probabilmente a cercare dentro di sé. Perché a volte il viso gli si illuminava, gridando esultante il nome. «L'uva!», «L'uva!» ripeteva e poi se la prendeva con lei: «Perché non ti è venuta in mente? Ti avevo detto *piccole*, *rosse*!». «Che cosa?» chiedeva mia suocera, sapendo che il gioco ricominciava. Mio suocero si ritraeva, folgorato da una nuova angoscia.

«Prendi il vocabolario!» le diceva, ricuperando nell'imperativo il modo grammaticale della propria vita. Mia suocera lo consultava alla voce *uva* e leggeva con accento burocratico la nomenclatura, finché, alla parola *acini*, «Ecco!» gridava mio suocero, «Acini! Acini d'uva!», come un banditore.

L'ultima volta che è venuto a cena l'ho trovato peggiorato. Non si ricordava il mio nome e, parlando con Franca, diceva *lui*, indicando me. Forse è il pronome con cui mi designa in privato, ma in pubblico mi mette a disagio.

Ho invitato a cena anche suo figlio Marco. Quando l'ha visto in anticamera gli ha detto brusco: «Ciao, dov'è Antonio?». «Non lo so» gli ha risposto Marco, «anche perché non lo conosco.» «È mio figlio» ha detto mio suocero spazientito. «Guarda che tuo figlio sono io» gli ha risposto Marco. Mio suocero, contrariato, ha avvicinato il proprio viso al suo, l'ha scrutato e poi gli ha detto: «Sì, lo so». Ha aggiunto: «Allora tu sei Antonio». «No, sono Marco» gli ha risposto l'altro.

Entrano in gioco fattori circolatori, ci aveva spiegato il gerontologo, sbalzi improvvisi di pressione, variazioni metaboliche. In effetti mio suocero, mentre si siede in sala di fronte a Marco, ha ripreso a considerarlo suo figlio. Si informa del suo studio di veterinario.

Marco ha subito una tracheotomia per estirpare un tumore e, ogni volta che parla, deve premere con il pollice una valvola occultata sotto la camicia, all'altezza dello sterno. Se non compie l'operazione nei tempi giusti, la voce gli esce dapprima afona, come in un film dell'orrore, poi gorgogliante e infine, quando il foro è chiuso, rauca ma chiara. Ha affrontato intervento e decorso postoperatorio senza mai lamentarsi, almeno con gli altri, che in un malato considerano questo come l'aspetto più ammirevole. "Eroico", l'avevo definito io stesso, con un aggettivo che aveva raccolto un consenso plebiscitario.

Seduto nella poltrona di fronte a mio suocero, Marco infila la mano sotto la camicia e dopo un gracchiare sussultorio, come una vecchia radio a galena, gli risponde che il suo studio è in crescita e che l'operazione non gli ha sottratto clientela.

«Quale operazione?» gli chiede mio suocero.

Marco si punta il dito contro il collo e impassibile, con una voce che gli esplode in gola, risponde:

«Questa.»

Mio suocero rimane interdetto. Capisce che non lo si sta prendendo in giro, ma non riesce a ricordare. Getta una occhiata nella mia direzione, nel caso possa aiutarlo. Ma non si è mai aspettato molto da me e ancora meno in una occasione come questa.

Fa un evidente sforzo su se stesso per soffocare lo sgomento.

Dice:

«Andiamo a tavola?»

Non so se rinnoverò questi inviti a cena. Le riunioni familiari hanno un aspetto lugubre di cui tutti sono festosamente presaghi. Non bisogna gravarle di un carico ulteriore, dovuto alle difficoltà fisiche o psichiche dei partecipanti. È vero che certi handicap mentali fanno anche ridere. Ne sanno qualcosa ubriachi e smemorati. Non ho mai capito perché, forse perché il mondo appare finalmente capovolto. È bene comunque non superare il livello di guardia.

Temo che l'altra sera sia avvenuto. Io stesso soffrivo di un disturbo che ogni tanto mi inquieta, una forma di afonia. Insidiata da agguati emotivi e da cedimenti locali – non estranei all'apparato boccale e respiratorio e alla fatica dell'insegnamento –, la mia voce si incrina, si abbassa, si muta in un fantasma, sparisce per un breve periodo, ritorna alterata. «Il suo inconscio non vuole più insegnare» mi ha detto uno specialista. «Purtroppo il problema è sempre il conscio» ho risposto.

L'altra sera centellinavo il numero dei miei interventi, distribuendoli in dosi calibrate. «Le persone normali parlano senza limiti» mi aveva detto lo specialista. «Lei no. Il serbatoio della sua voce ha un limite, come quello di una automobile, e non deve andare in riserva, altrimenti rischia di fermarsi. Per quanto? Anche poco, il tempo di ricaricarsi. Ma è meglio fermarsi un attimo prima, per evitare disagi.»

Per evitare disagi lasciavo parlare gli altri, l'atteggiamento di solito più gradito da chi ti invita per farti parlare. Ma in una riunione familiare l'astensione viene giudicata con sospetto. Quando sono intervenuto la mia voce però è uscita fessa e secca come un sibilo d'oltretomba.

Mio cognato ha premuto la valvola sotto la camicia.

«Che cosa hai detto?» ha latrato.

Io ho deglutito per guadagnare tempo e fiato, ma Paolo, che è facilitato dalla sua disabilità a decifrare la mia, ha spiegato con la sua voce rauca:

«Ha detto che non è questo il punto.»

«E qual è?» è intervenuto mio suocero, con rapidità inattesa.

Tutta la sera ci ha storditi con la ricerca frenetica dei nomi più comuni, bicicletta, tasse, birra, scuola, estate. Ha escogitato le perifrasi più labirintiche, al centro delle quali si trovava, tesoro inaccessibile, una parola magari come pesci. Quelli che vivono sotto. Vermi? No! Minatori? No! Speleologi? Macché speleologi! Sotto dove? Quella cosa che si beve! L'acqua? Sì! I pesci? Sìì, i pesci! Che cosa ci voleva?

Tutto il lessico diventava un campo minaccioso e

minato, dove procedere era fatale e ci si fermava a ogni passo. «Come si chiama?» risuonava l'appello esasperato. E noi a perlustrare estenuati, febbrili, disorientati, in quella oscillazione tra il comico e il tragico che è il pendolo della vita. Quando si avventurava nei concetti astratti, come virtù, allora la definizione diventava più disperata che nei filosofi e talvolta si concludeva, a differenza che in loro, con una illuminata, superiore rinuncia.

Se invece era lui a chiedere un chiarimento, tutto appariva normale. Ma io ho desistito dallo spiegargli qual era il punto. Ho fatto un cenno di rinvio con la mano, come colto da un problema di digestione. E ho rimandato al futuro la soluzione di questo problema e anche di altri.

Paolo, che ha imparato a farmi ridere dicendomi le cose più terribili, ha commentato, quando gli ospiti a mezzanotte se ne sono andati e siamo rimasti soli in sala, io e lui:

«Ma anche tu diventerai così?»

«Non lo so» ho riso.

Era una ipotesi a cui non avevo mai pensato, ma evidentemente non così improbabile come appariva a me.

E lui, nella sua tetra bravura (è una cosa che ne compensa tante altre, a me e a lui), ha aggiunto:

«Il problema è che cosa mi aspetta.»

A distanza

Mi capita di vederlo a distanza, nella via lunga e stretta dove abito. Cammina lungo i muri delle case, per avere un appoggio, se incespica. L'andatura è sgraziata e, anziché seguire i comandi del corpo, sembra sfruttarne il peso, precipitandolo talora in avanti con accelerazioni improvvise.

Alcuni lo riconoscono e lo salutano. Lui si ferma con la schiena contro l'intonaco, sempre pronto a parlare con tutti. Intuisco che certi lo trattano come un bambino. Sono gli stessi che trattano i bambini come idioti e stabiliscono con loro, finalmente, un rapporto alla pari. Lui è in grado di dire cose che loro, probabilmente, non sanno neanche pensare, ma si limita a guardarli, mentre bamboleggiano, con il suo sorriso mite.

Chi lo vede per la prima volta spesso non se ne accontenta. Si ferma e si volta a guardarlo. Lui se ne accorge e ho l'impressione che arranchi con una smorfia di sofferenza. Ma forse non è così, lui bada solo a non cadere, è abituato a essere osservato, sono io che non mi rassegno. Ho una smorfia di sofferenza ed è quello che ci unisce, a distanza.

Altre volte ho provato a chiudere un attimo gli occhi e a riaprirli. Chi è quel ragazzo che cammina oscillando lungo il muro? Lo vedo per la prima volta, è un disabile. Penso a quella che sarebbe stata la mia vita senza di lui. No, non ci riesco. Possiamo immaginare tante vite, ma non rinunciare alla nostra.

Una volta, mentre lo guardavo come se lui fosse un altro e io un altro, mi ha salutato. Sorrideva e si è appoggiato contro il muro. È stato come se ci fossimo incontrati per sempre, per un attimo.

GIUSEPPE PONTIGGIA

PRIMA PERSONA

Aforismi fulminei, narrazioni esilaranti, passeggiate panoramiche: un'esperienza letteraria sconcertante che mobilita i registri dell'ironia e della satira, lasciando spazio alla partecipazione emotiva e al coinvolgimento solidale.

(n. 1833), pp. 294,
cod. 452103, € 7,40

LA MORTE IN BANCA

*Un romanzo breve
e sedici racconti*

Istantanee dell'uomo del XX secolo, con le sue piccolezze e le sue illusioni: immagini grottesche e realistiche, rappresentate sempre con ironico distacco e con una tensione amara e drammatica.

(n. 1814), pp. 210,
cod. 451300, € 7,00

IL RAGGIO D'OMBRA

Un evaso politico si rifugia presso alcuni compagni clandestini; ma ricambia l'aiuto con il tradimento, e li fa arrestare. Tra suspense e ironia, un romanzo imprevedibile basato su un fatto accaduto nel 1927.

(n. 896), pp. 176,
cod. 439834, € 6,40

IL GIOCATORE INVISIBILE

Dalle pagine di una rivista un anonimo lettore attacca un illustre professore all'apice della carriera. Chi è l'inafferrabile avversario? E qual è il segreto del suo astio?

(n. 983), pp. 268,
cod. 442926, € 6,80

GIUSEPPE PONTIGGIA

GIUSEPPE PONTIGGIA

LA GRANDE SERA

Un benestante uomo d'affari di mezza età, stanco delle responsabilità e dei soliti legami, scompare nel nulla per rifarsi una vita. Un romanzo che è una meditazione sull'esistenza di oggi.

(n. 1564), pp. 272,
cod. 448809, € 6,80

VITE DI UOMINI NON ILLUSTRI

Diciotto biografie immaginate di altrettanti personaggi. Esistenze oscure di uomini e donne comuni ma, come tutte, segnate da pathos e violenza, grandezza e meschinità.

(n. 1704), pp. 280,
cod. 450987, € 7,80

GIUSEPPE PONTIGGIA

I contemporanei del futuro

I CONTEMPORANEI DEL FUTURO

Dalla navigazione degli Argonauti alla stufa di Cartesio, dagli amori di Ovidio ai pirati di Defoe, un modo estroso e vitale di avvicinarsi alla lettura dei grandi autori del passato.

(n. 1763), pp. 280,
cod. 450931, € 7,40

GIUSEPPE PONTIGGIA

L'isola volante

L'ISOLA VOLANTE

Da uno dei massimi scrittori contemporanei una raccolta di "appunti di viaggio", brevi saggi, divagazioni e perlustrazioni nell'universo della grande letteratura, da Omero al Novecento.

(n. 1792), pp. 291,
cod. 450485, € 6,80

GIUSEPPE PONTIGGIA

«Nati due volte»
di Giuseppe Pontiggia
Oscar bestsellers
Arnoldo Mondadori Editore

Questo volume è stato stampato
presso Mondadori Printing S.p.A.
Stabilimento NSM – Cles (TN)
Stampato in Italia. Printed in Italy